KALMUS STUDY SCORES

No. 950

WOLFGANG AMADEUS
MOZART

Symphonies.

Köchel.

129	SYMPHONY for 2 violins, viola, bass, 2 oboes, 2 horns. G major, 𝄴
130	SYMPHONY for 2 violins, viola, bass, 2 flutes, 2 horns in E, 2 horns in C. F major, 𝄴
132	SYMPHONY for 2 violins, 2 violas, bass, 2 oboes, 4 horns in E flat. E flat major, 𝄴.
133	SYMPHONY for 2 violins, viola, bass, 2 oboes, 2 horns, trumpets. The ANDANTE with flute obbligato. D major, 𝄴.
134	SYMPHONY for 2 violins, viola, bass, 2 flutes, 2 horns. A major, 3/4.

EDWIN F. KALMUS
PUBLISHER OF MUSIC
HUNTINGTON STATION. L. I., N. Y.

CONTENTS

CONTENTS

SYMPHONIE Nº 17

von

W. A. MOZART.

Köch. Verz. Nº 129.

Mozart's Werke.

Componirt im Mai 1772 zu Salzburg.

Allegro.

Oboi.

Corni in G.

Violino I.

Violino II.

Viola.

Violoncello e Basso.

Ausgegeben 1880.

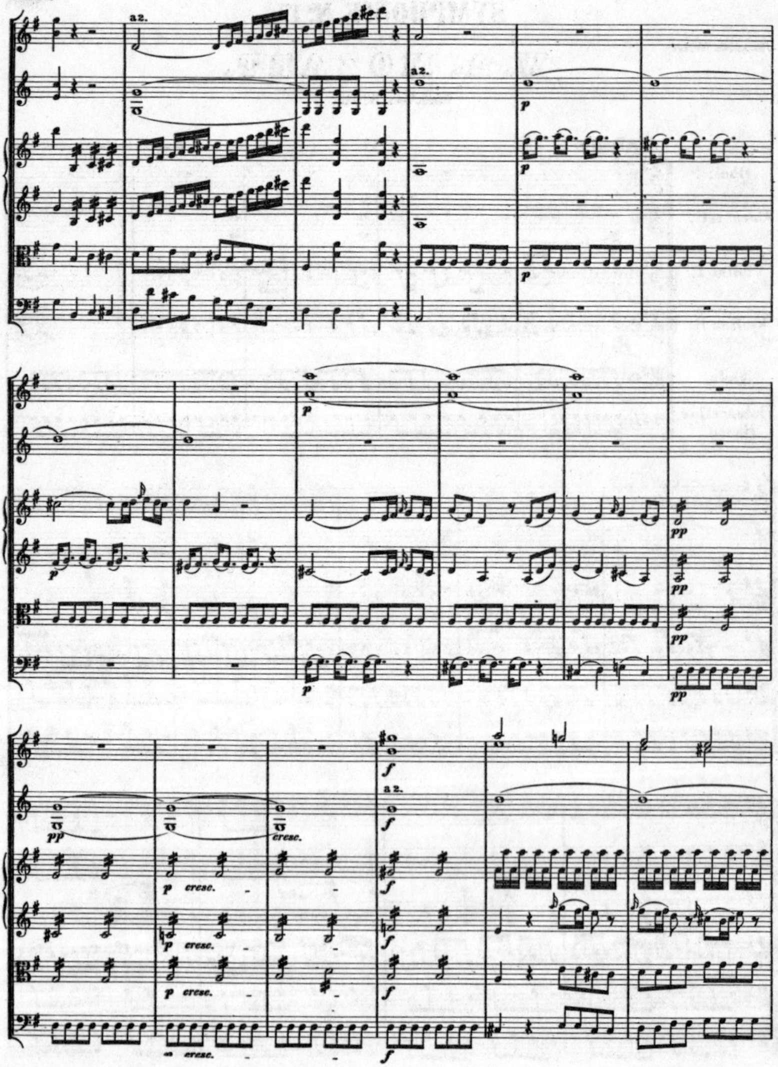
a2.
a2.
p
pp
cresc.
f
a2.

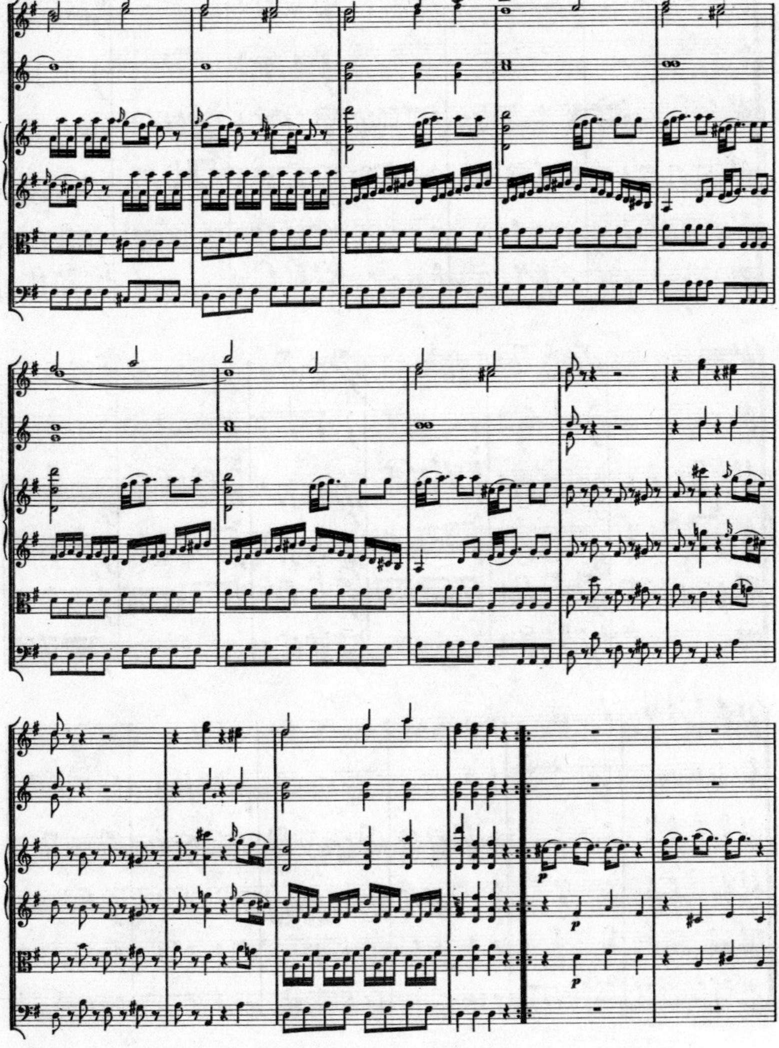
p
p
p

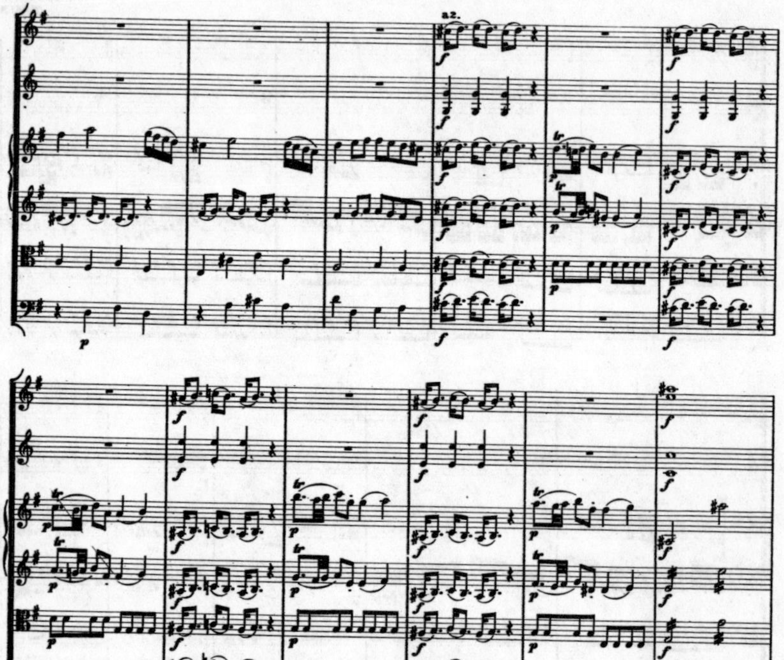
a2.

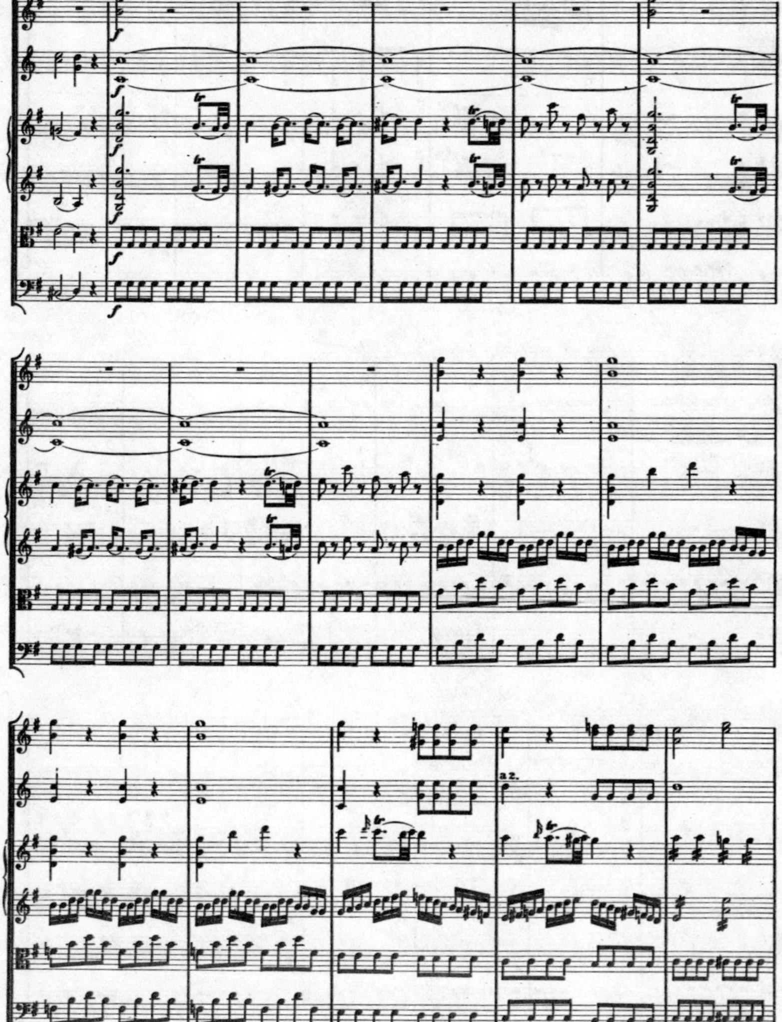
f
tr
a2.

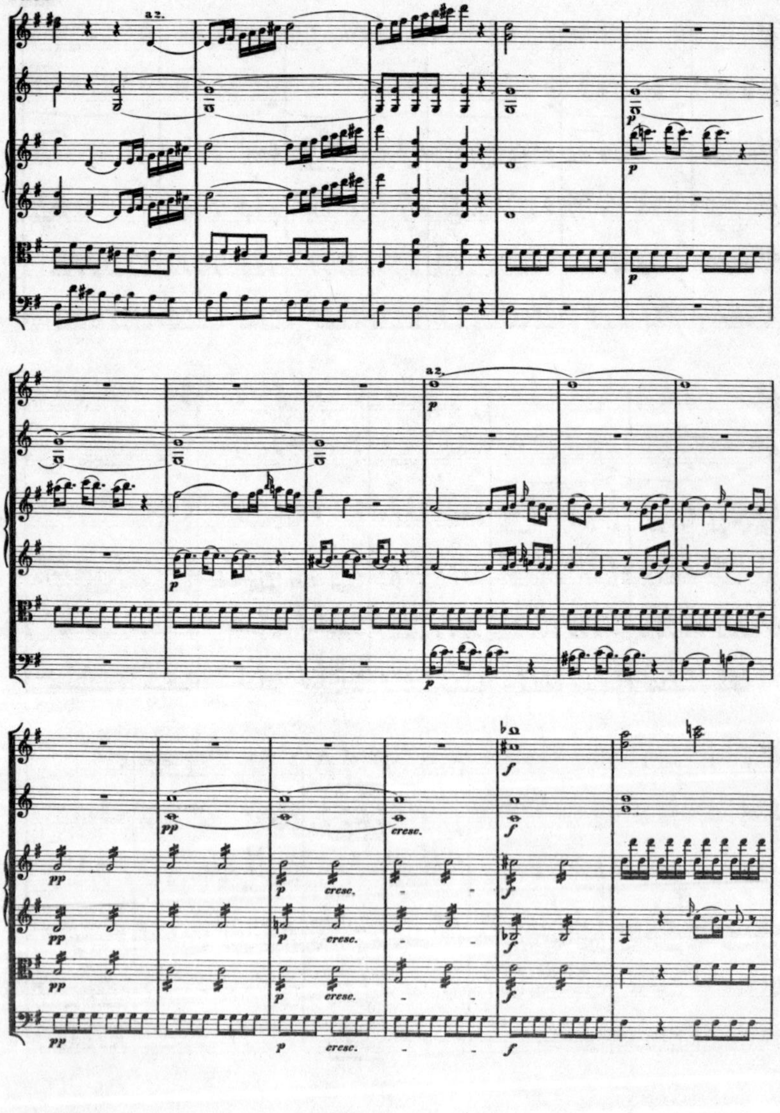
a 2.
p
a 2.
pp
cresc.
f

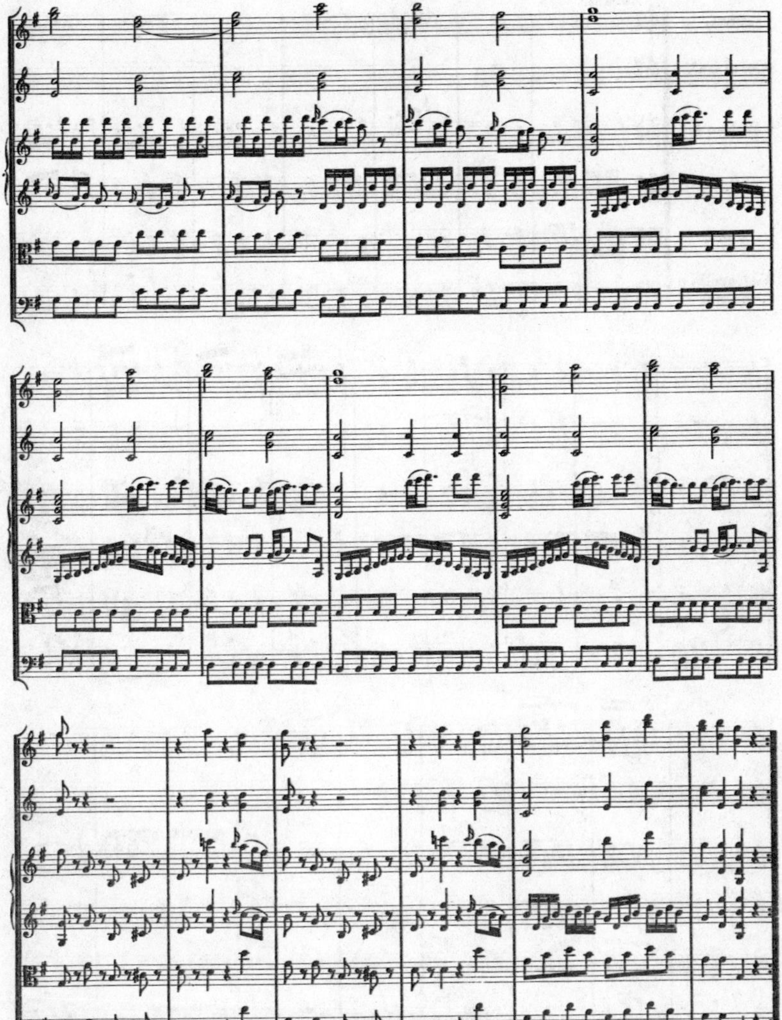

Andante.

Oboi.	
Corni in C.	
Violino I.	
Violino II.	
Viola.	
Violoncello e Basso.	

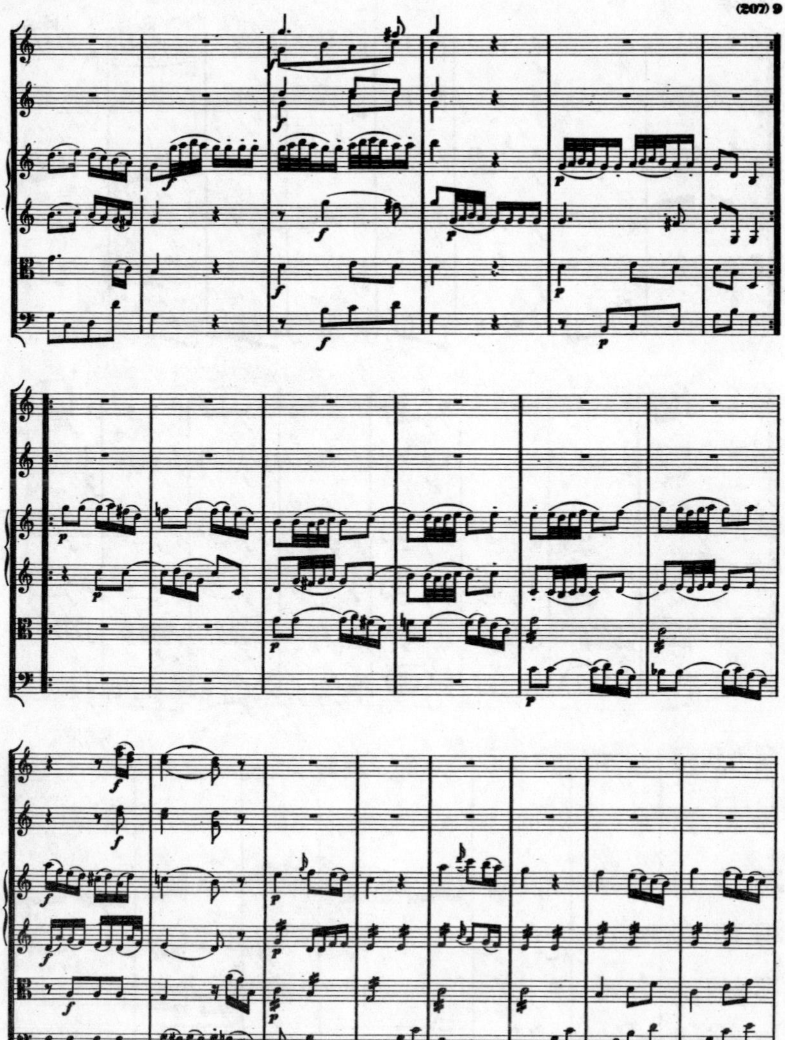

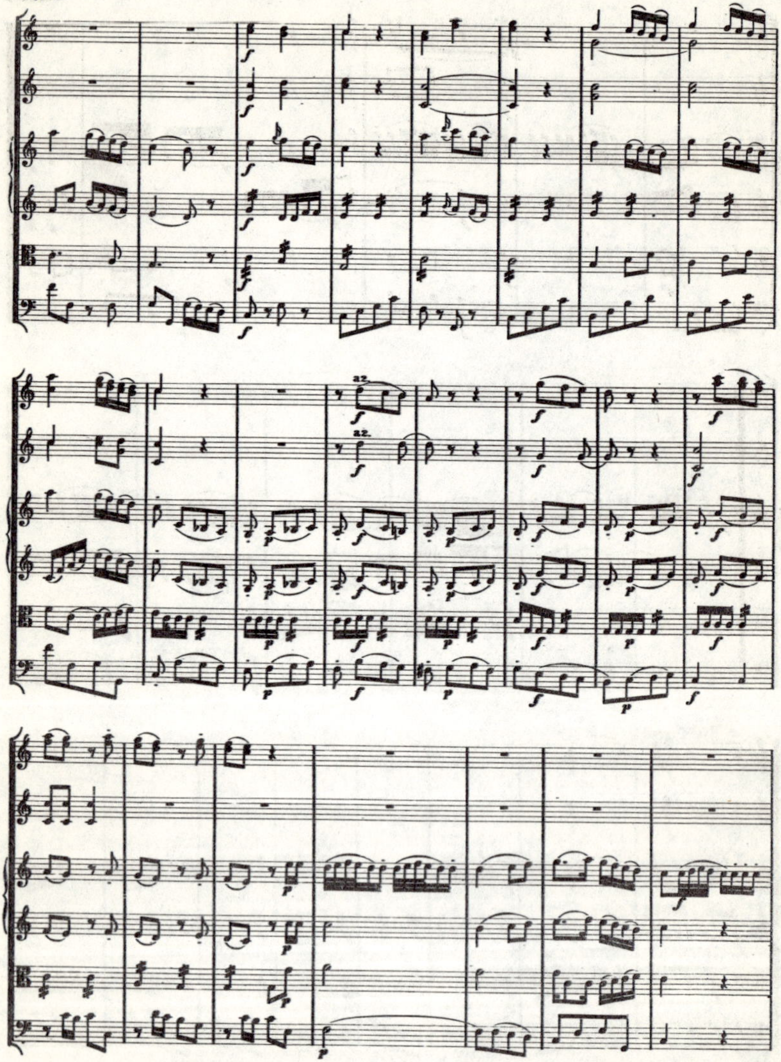
a2.
a2.

Allegro.
a2.
Oboi.
Corni in G.
Violino I.
Violino II.
Viola.
Violoncello e Basso.
a2.
a2.

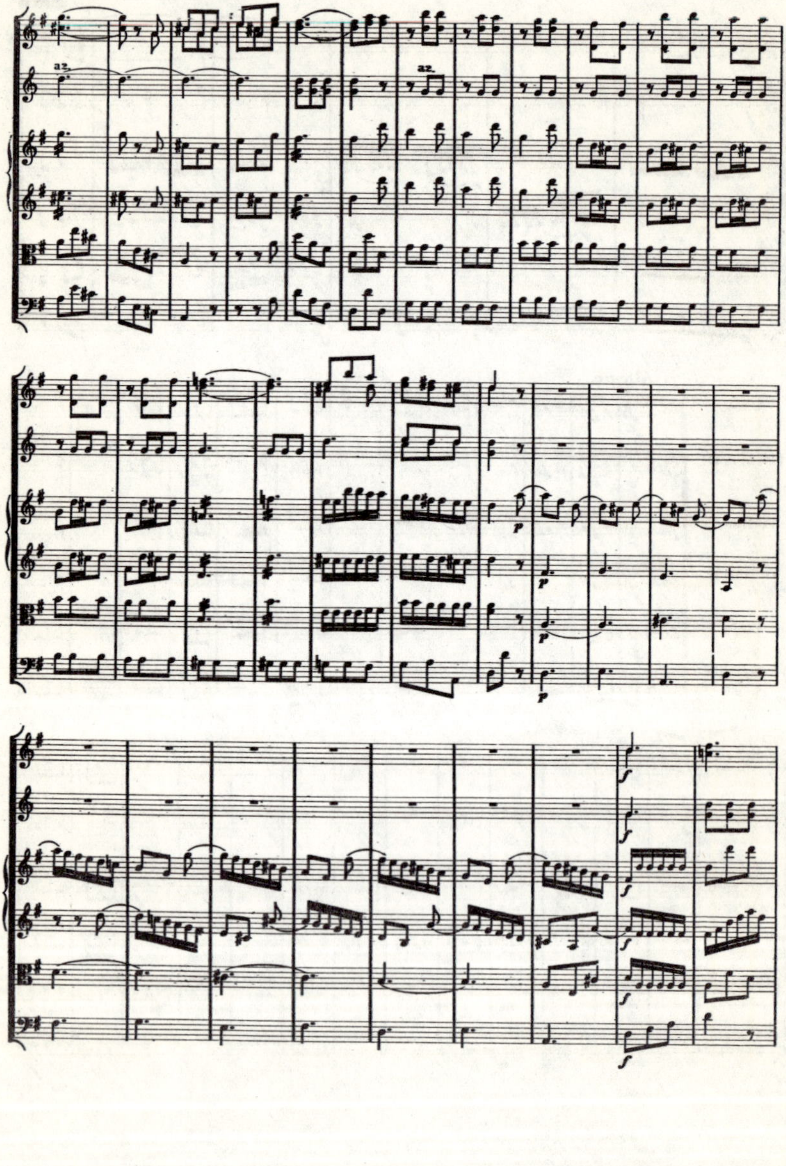
a2.
a2.

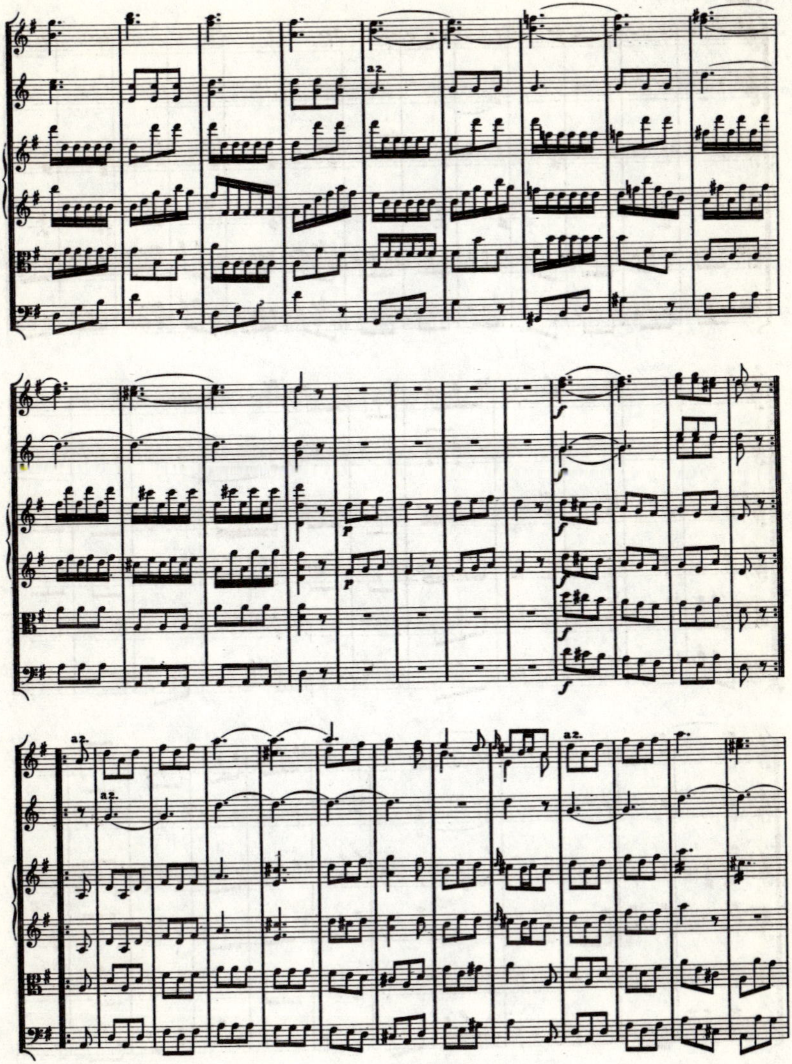
a2.
a2.
a2.
a2.

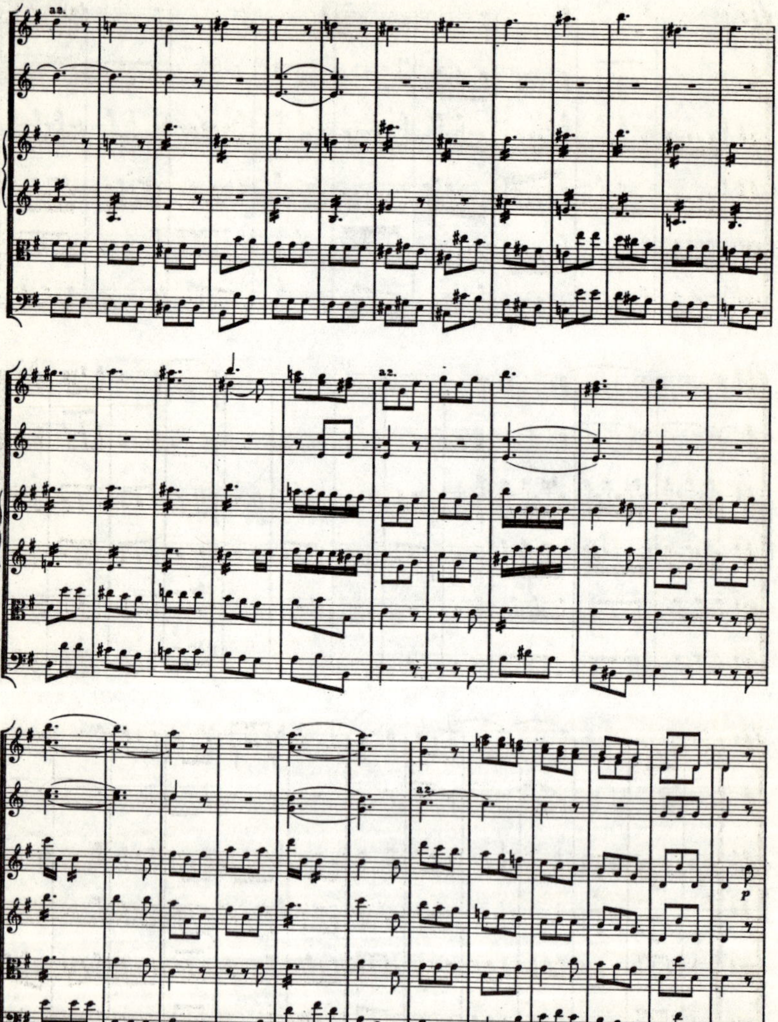
a2.
a2.
a2.
p

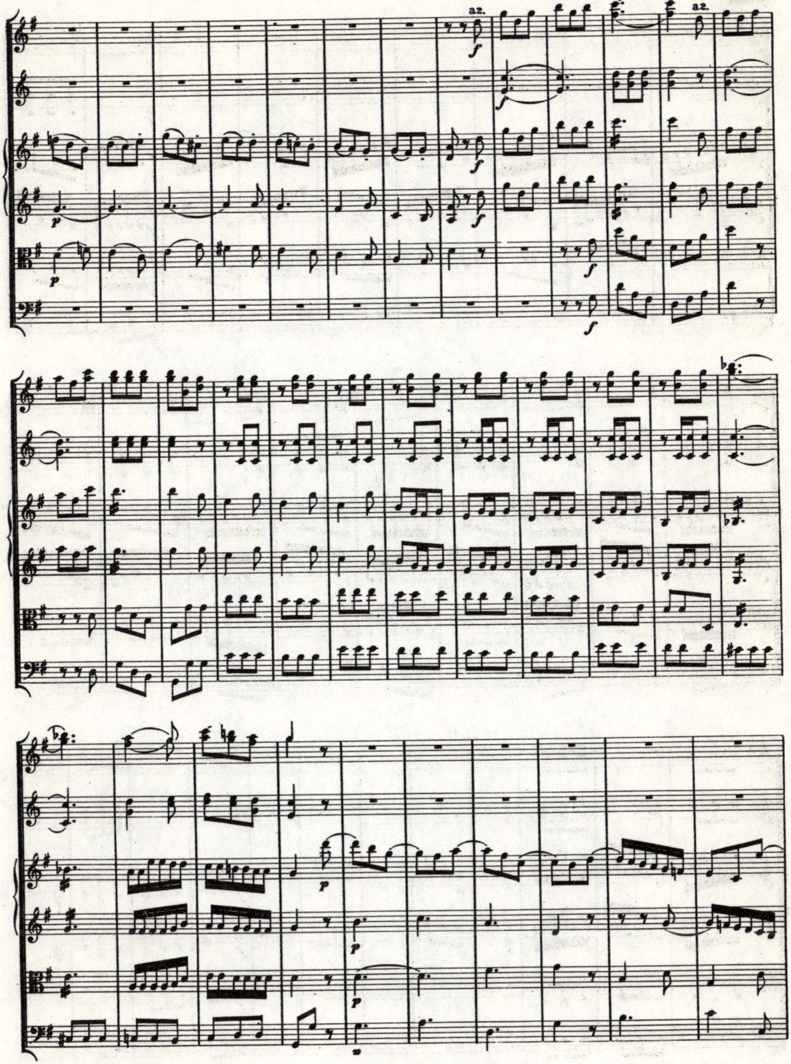
a2.
a2.

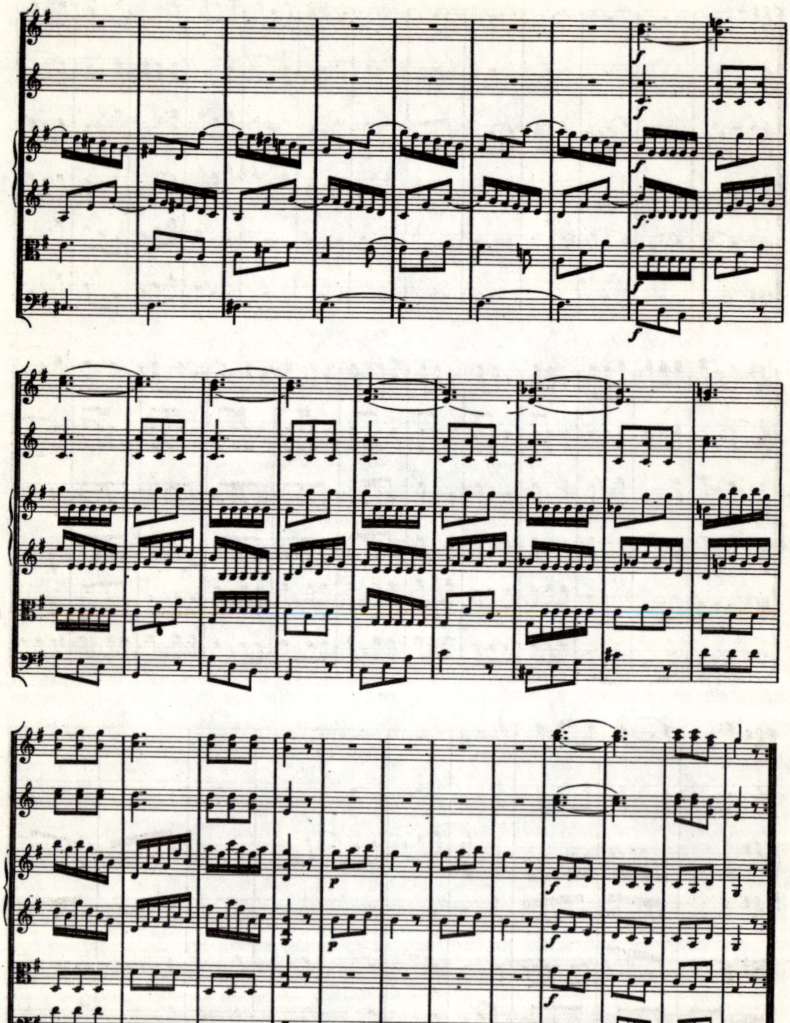
f
p

SYMPHONIE No 18

von

W. A. MOZART.

Köch. Verz. No 130.

Mozart's Werke.

Serie 8. No 18.

Componirt (Ende) Mai 1772 in Salzburg.

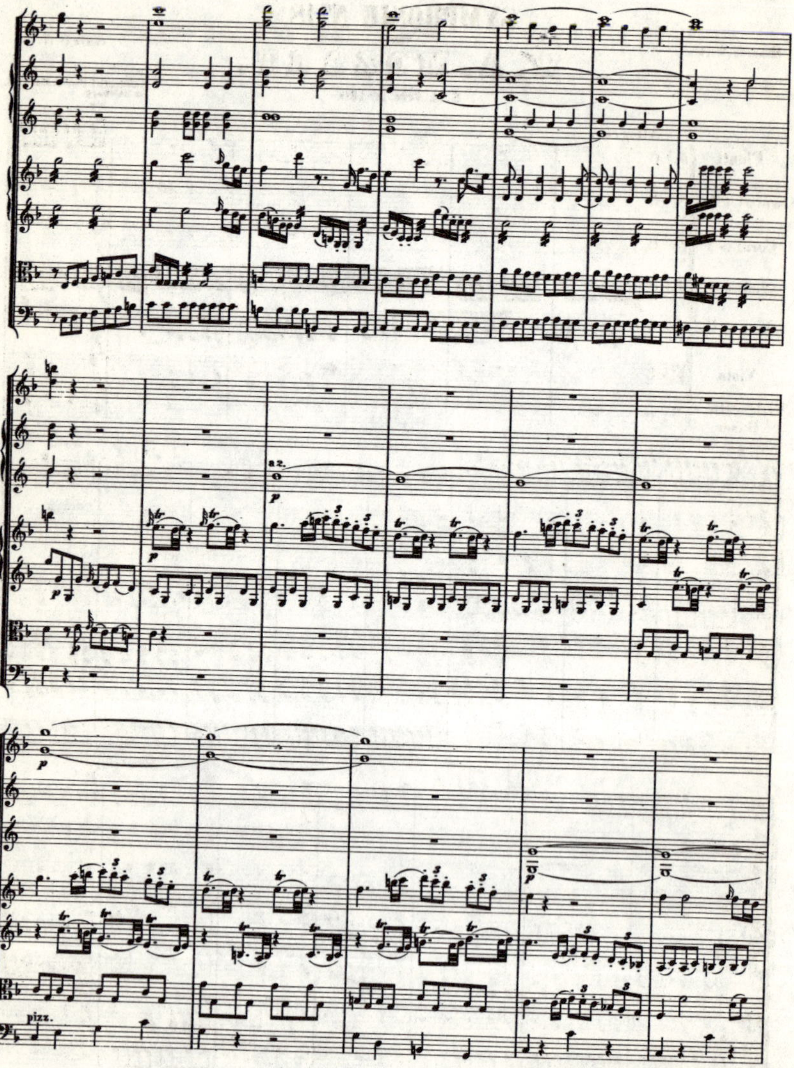
a 2.
pizz.

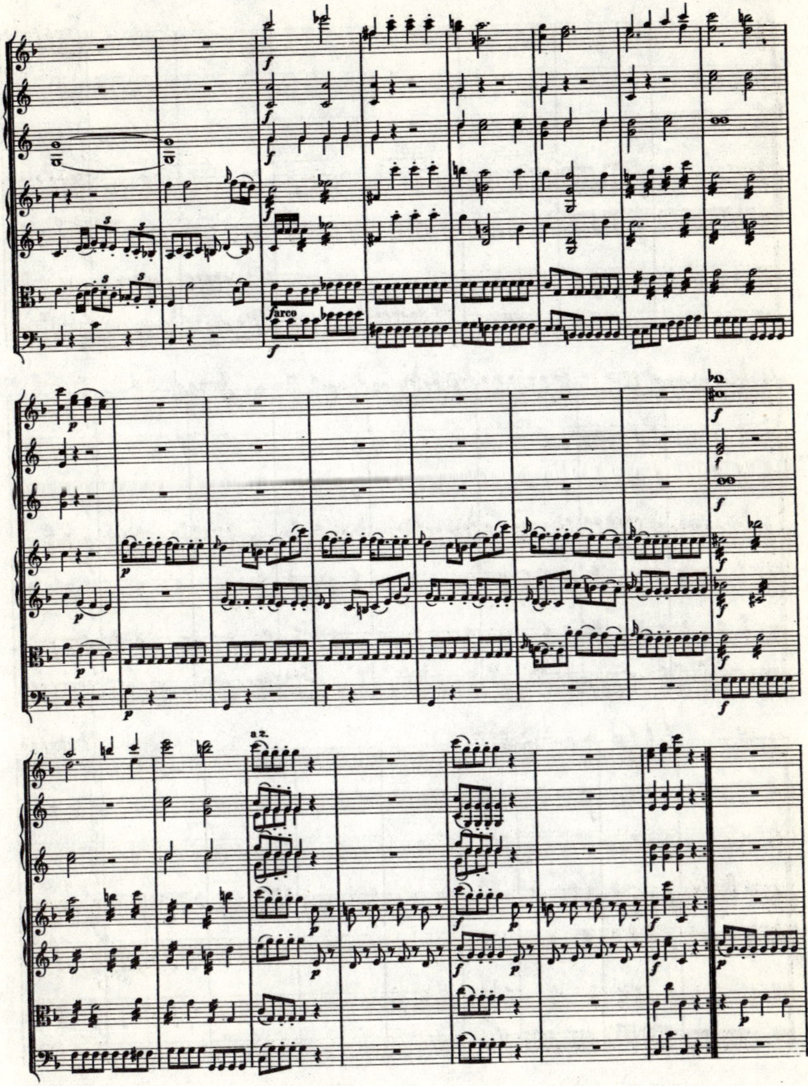
arco
a 2.

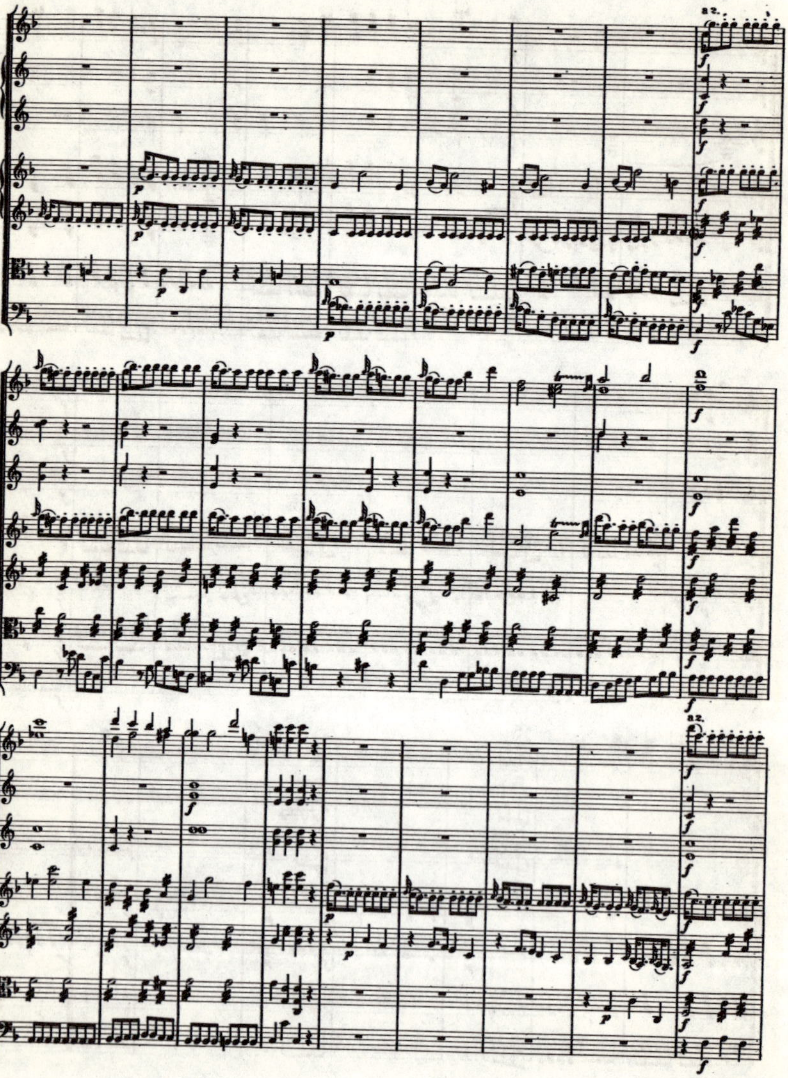
a 2.
a 2.

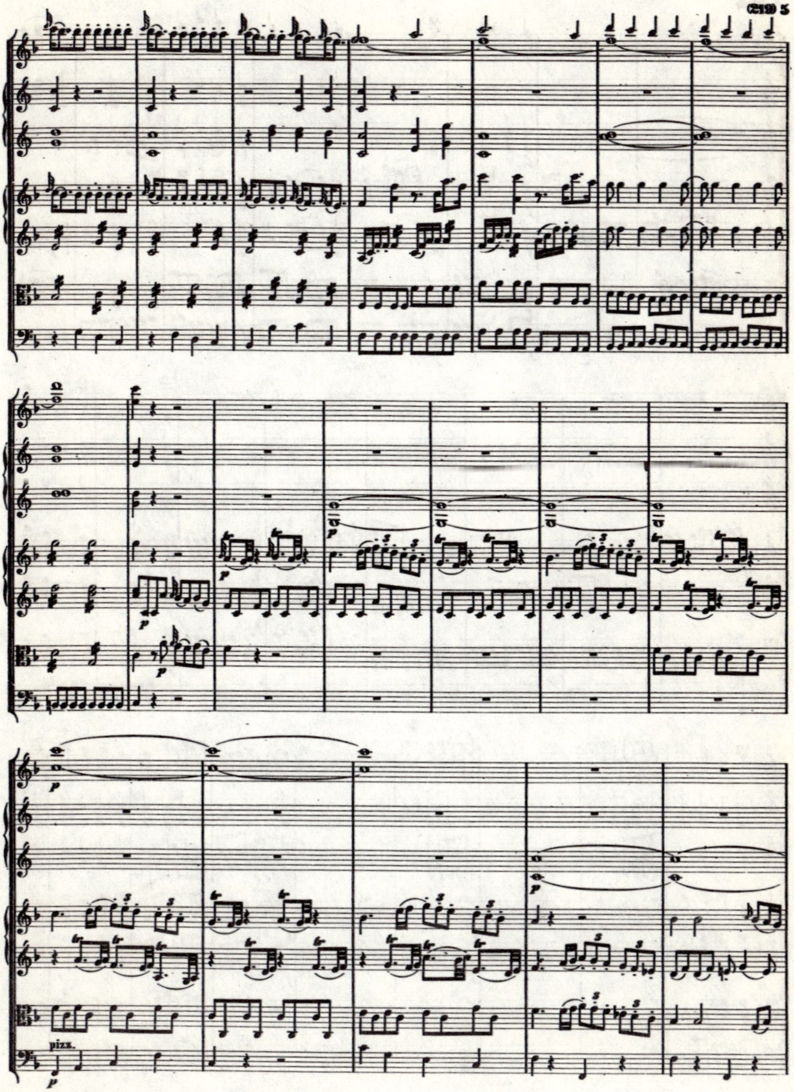
p
pizz.

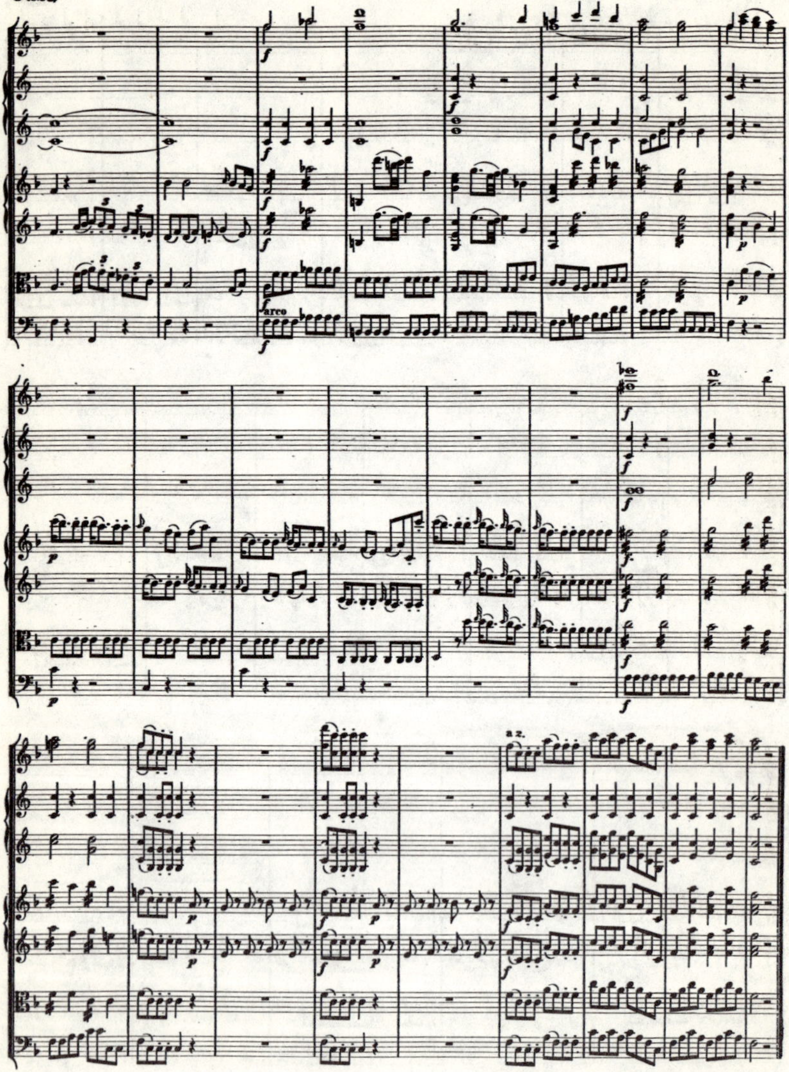
arco
a 2.

Andantino grazioso.
Flauti.
Corni in F.
Corni in B.
Violino I.
Violino II.
Viola.
Basso.
con sordino
con sordino
pizz.

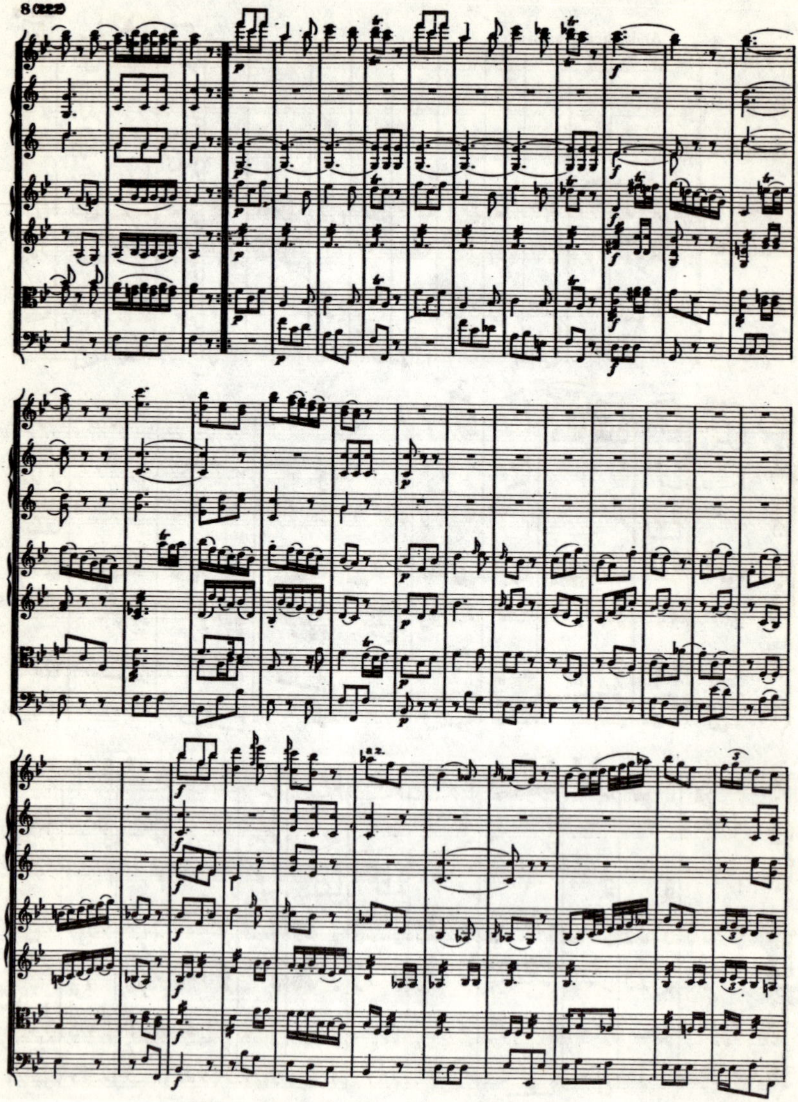

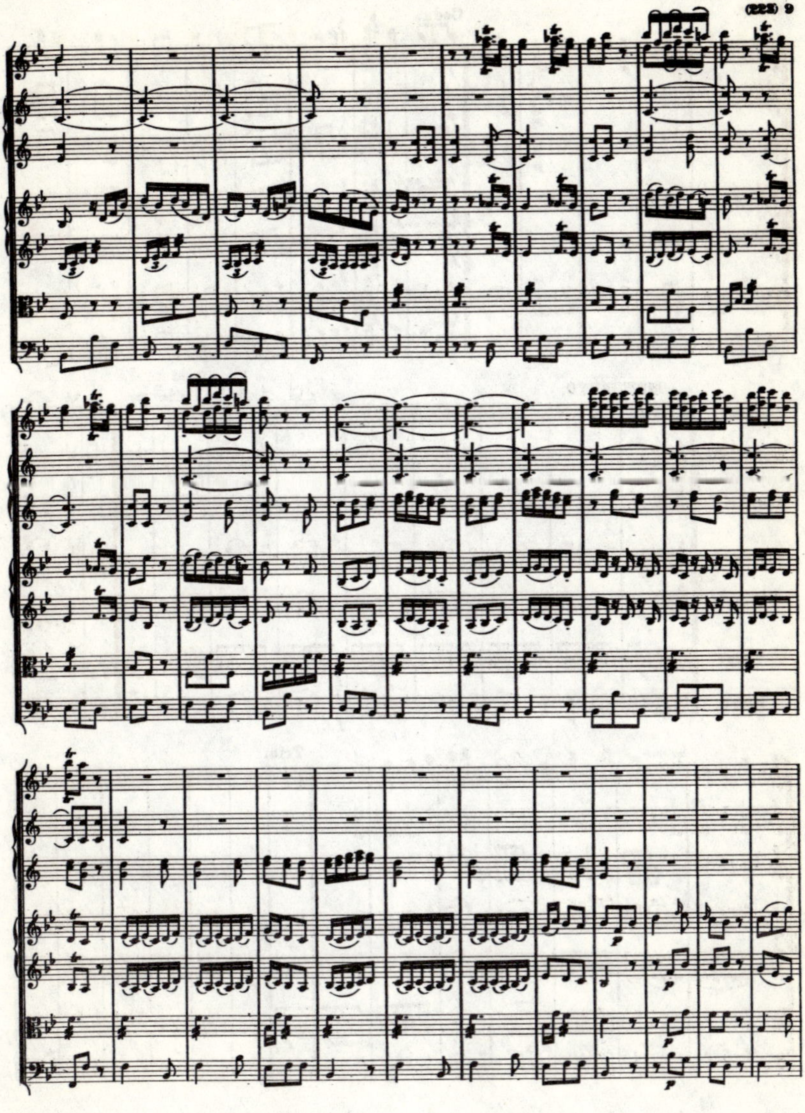

Coda.
senza sord.
senza sord.
arco
MENUETTO.
Flauti.
Corni in C alto.
Corni in F.
Violino I.
Violino II.
Viola.
Basso.
a 2.
Trio.
(Schluss)

Men. D.C.

Allegro molto.

Flauti.

Corni in C alto.

Corni in F.

Violino I.

Violino II.

Viola.

Basso.

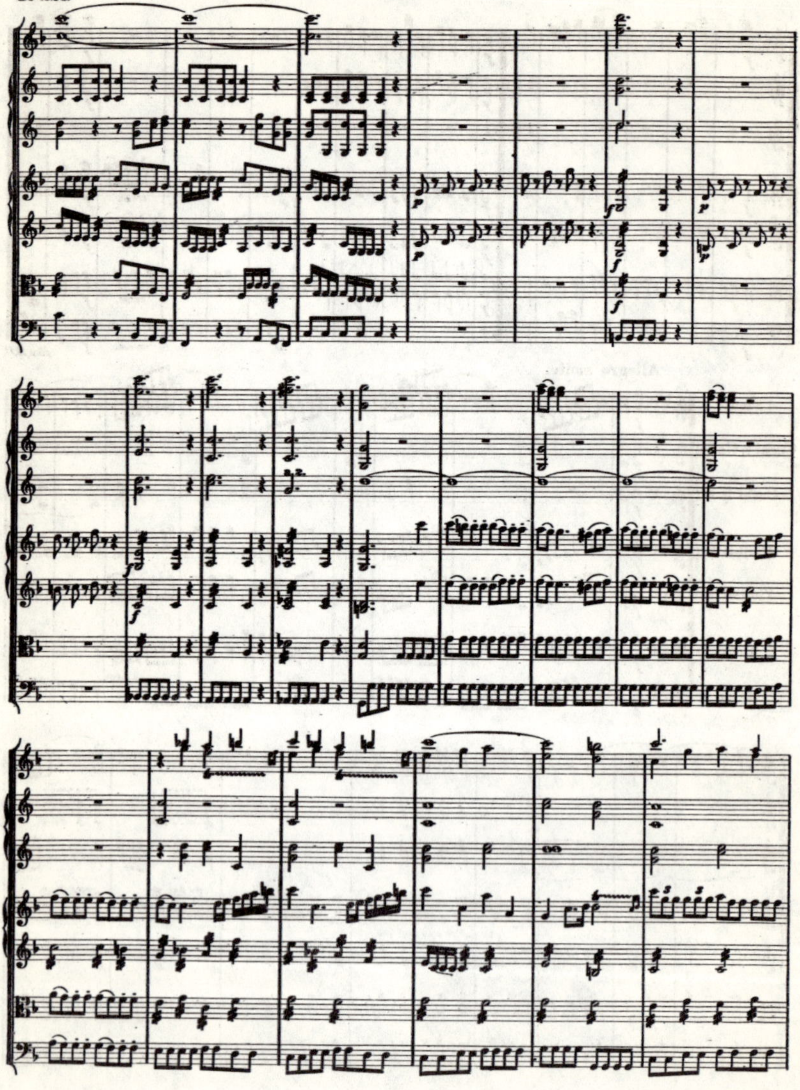

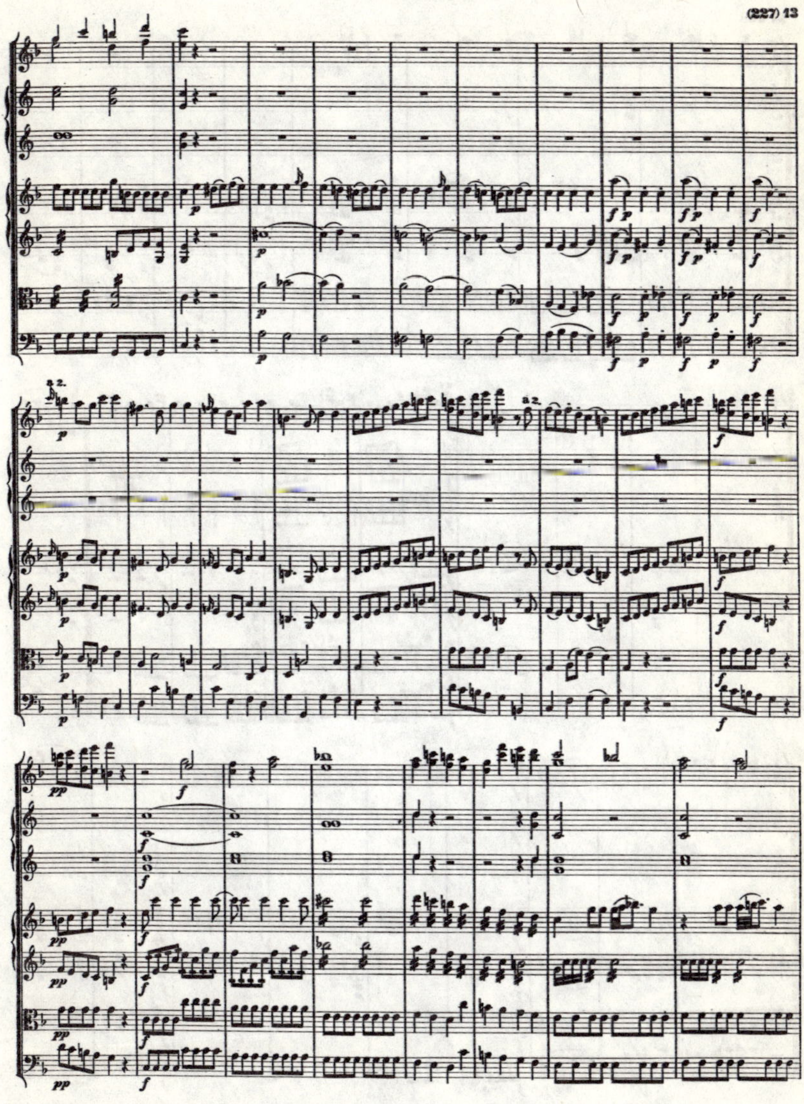
a 2.
p
a 2.
f
pp
f

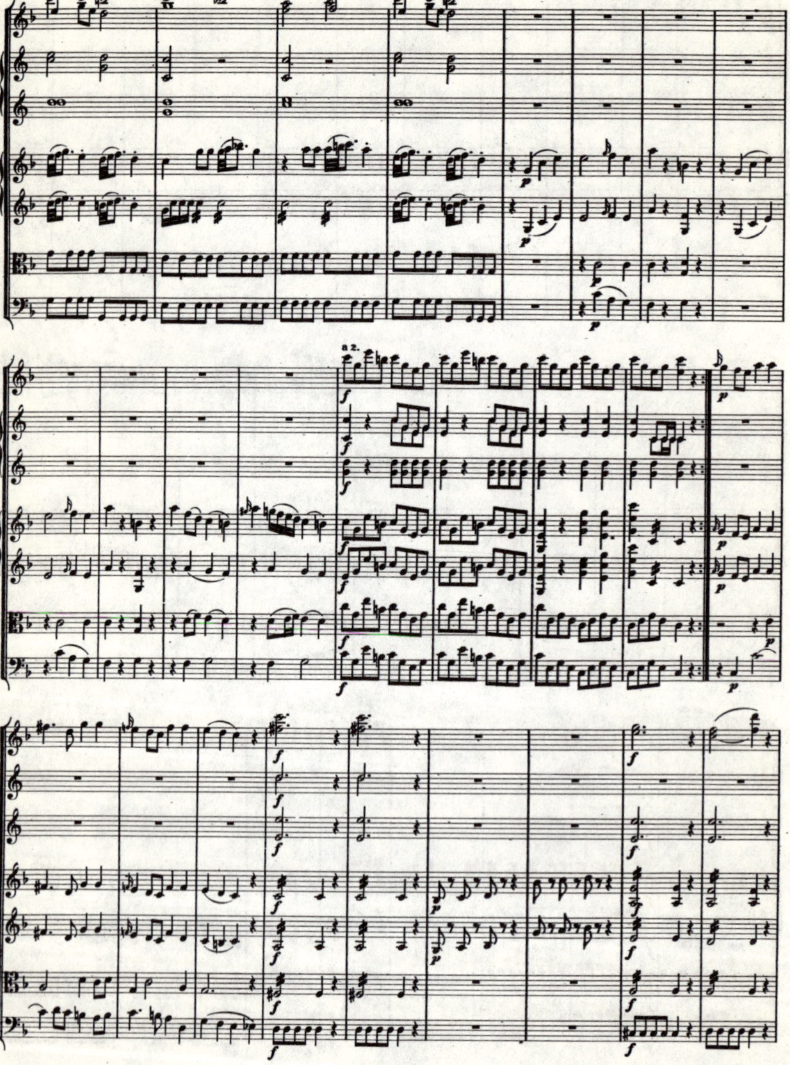
a 2.

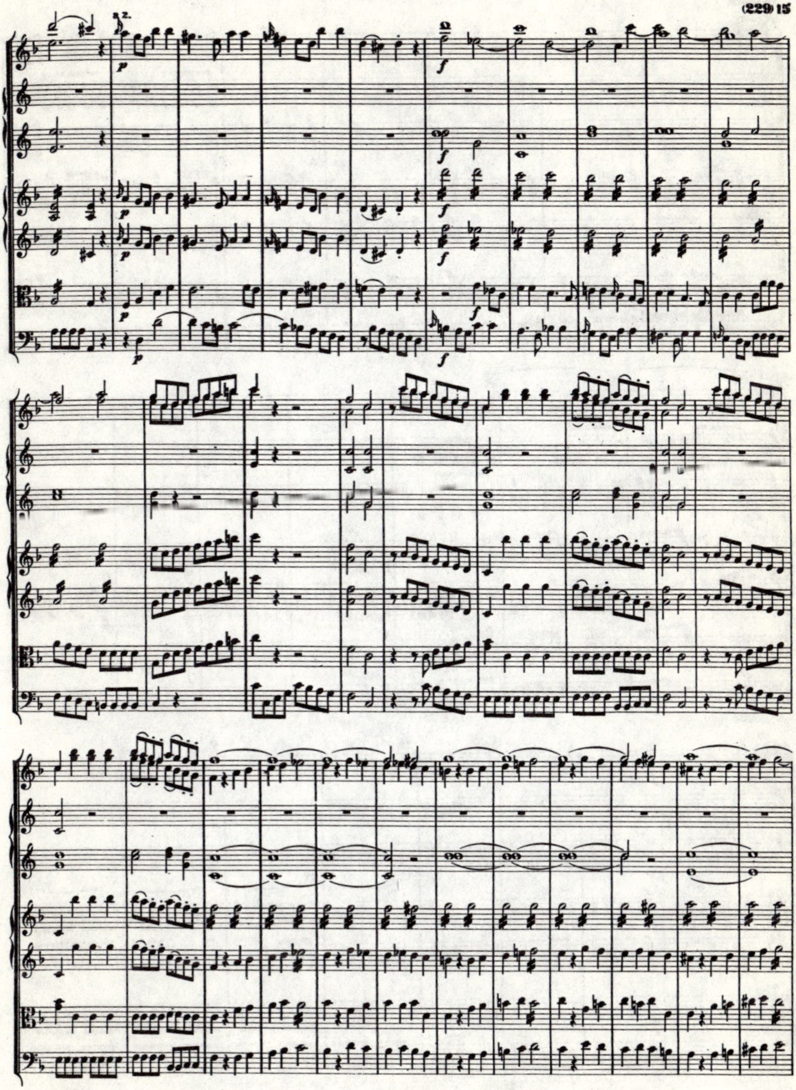
a 2.

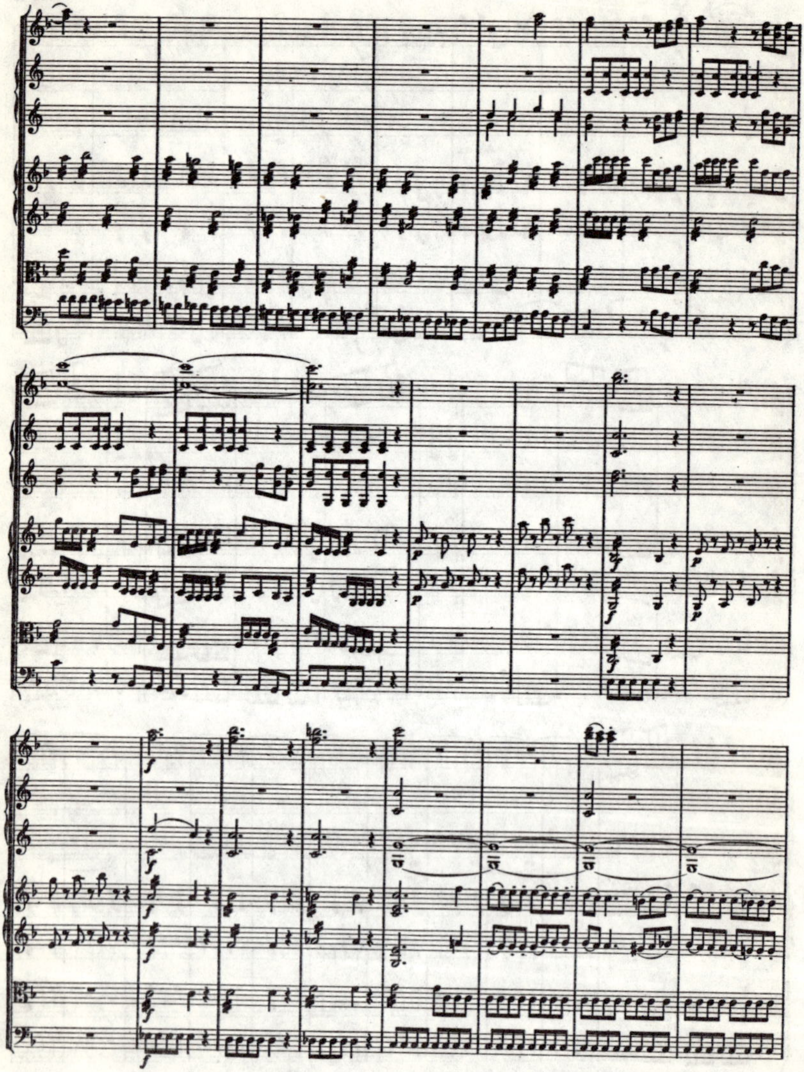

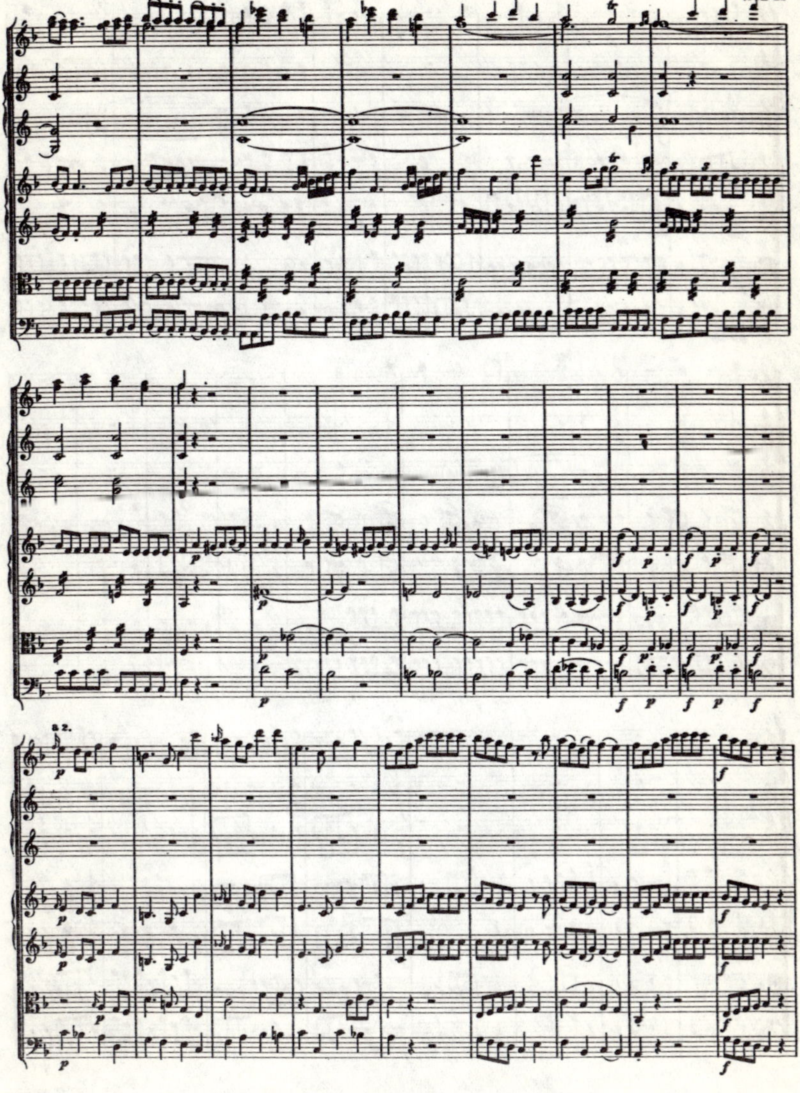
a 2.

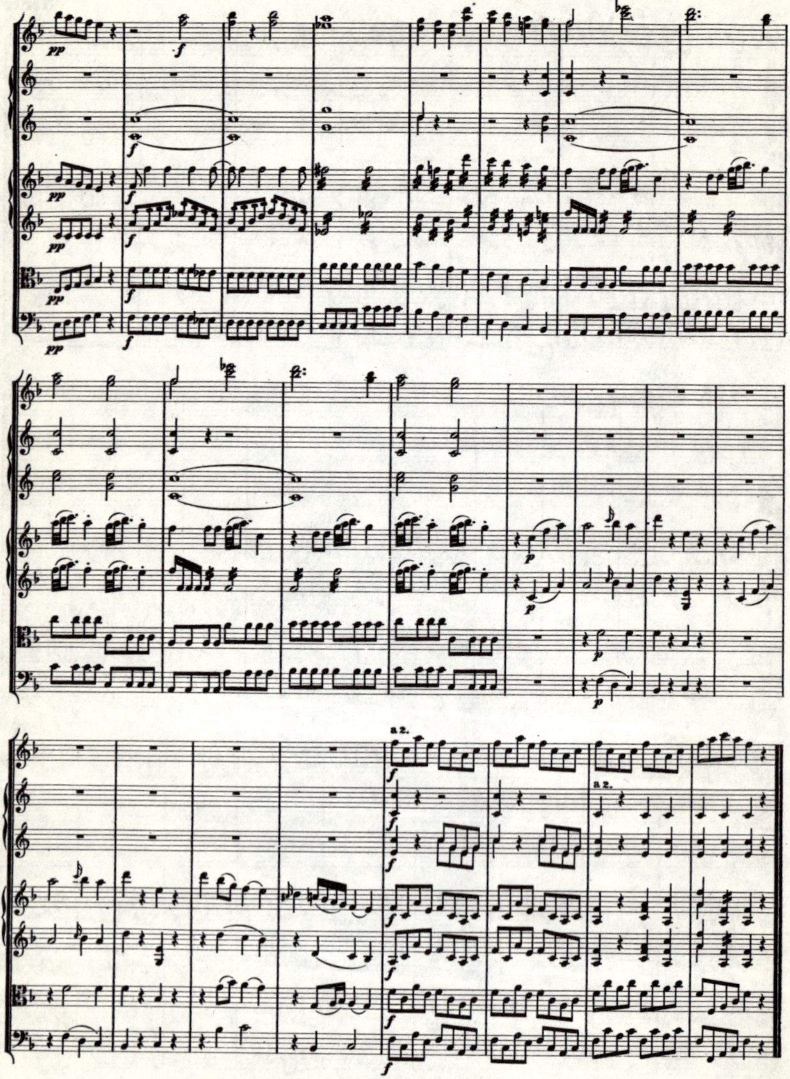
a 2.
a 2.

SYMPHONIE No 19
von
W. A. MOZART.
Köch. Verz. No 132.

Mozart's Werke.

Componirt im Juli 1772 zu Salzburg.

Ausgegeben 1880.

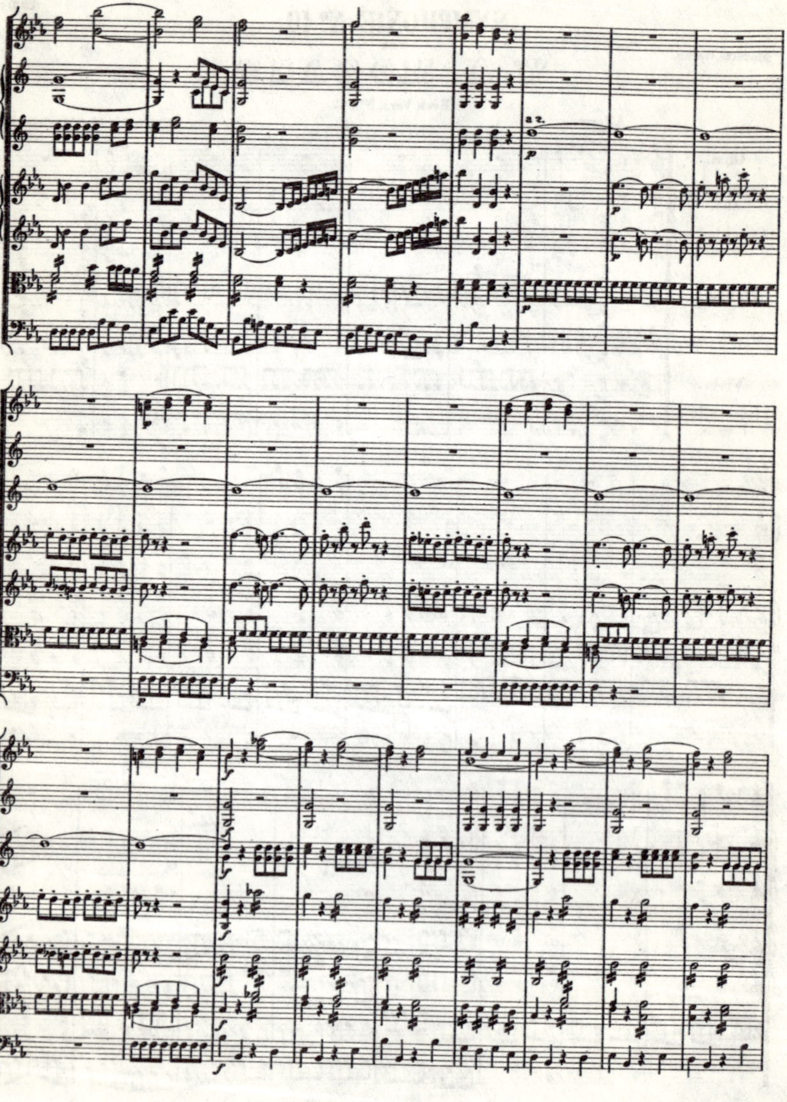
a 2.

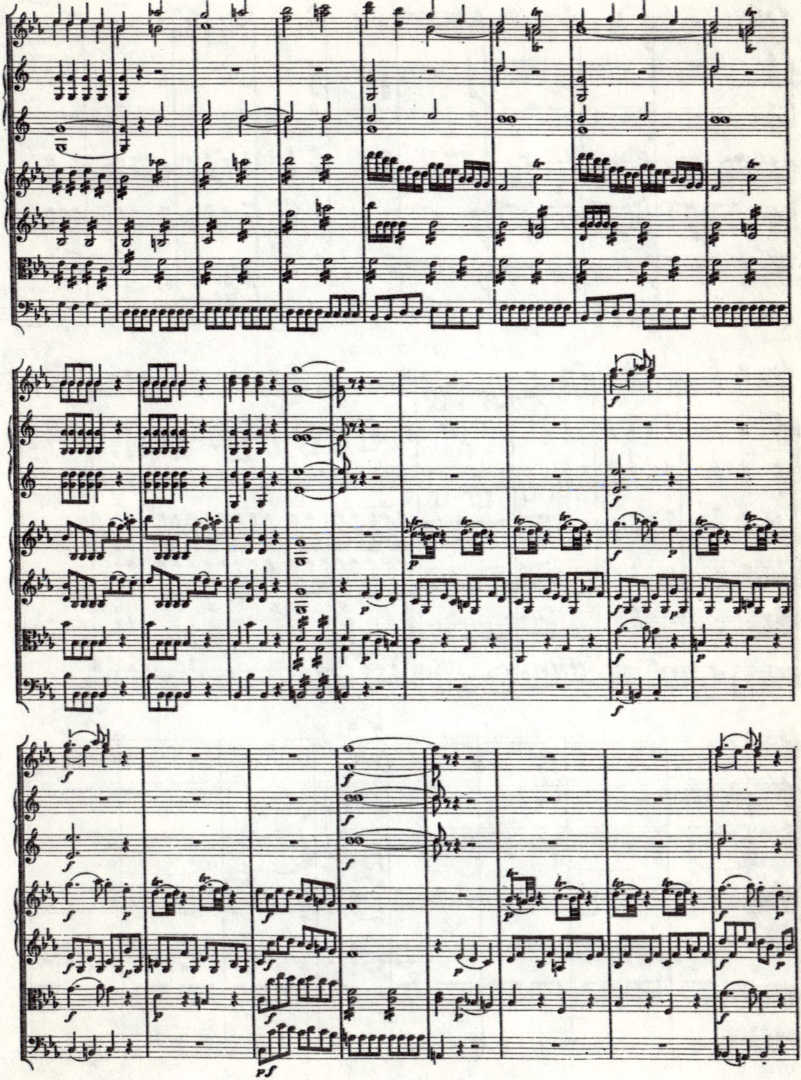

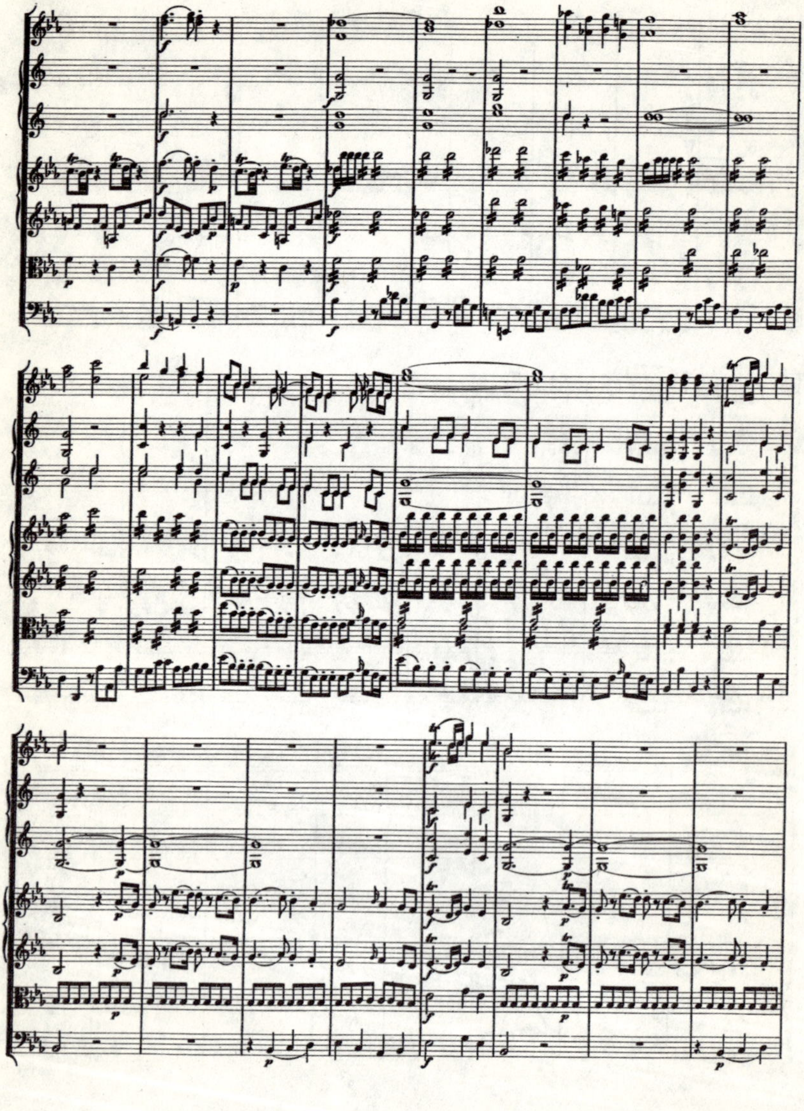
tr
f
p

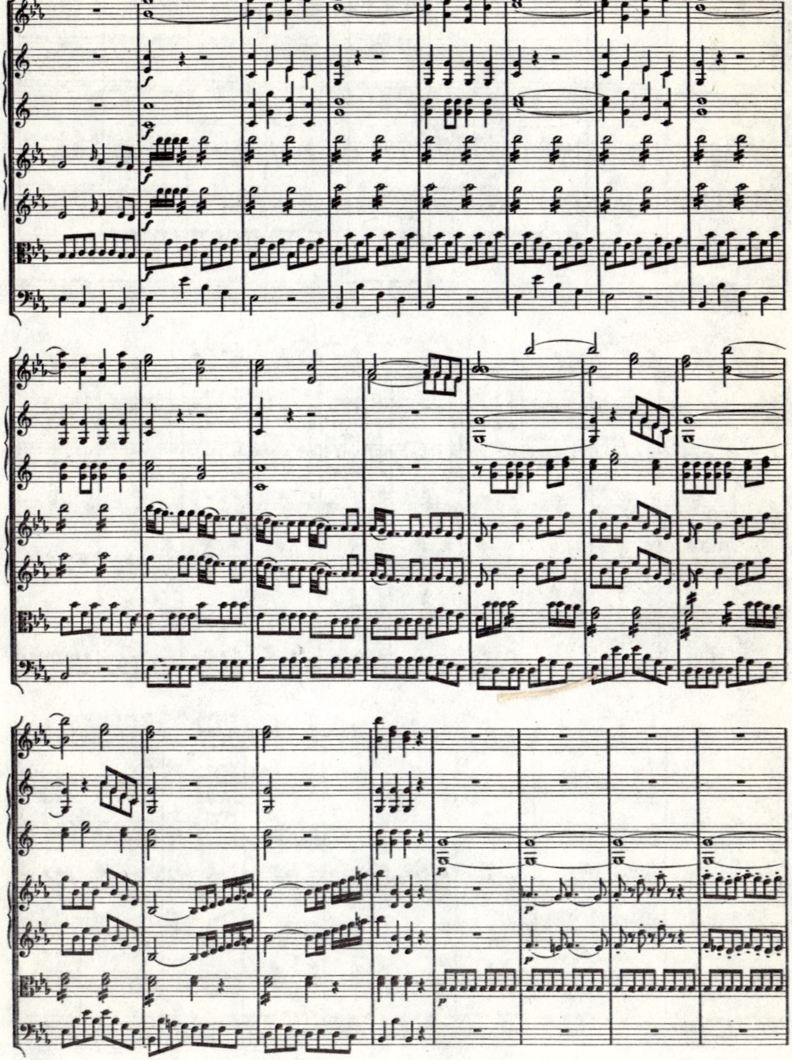

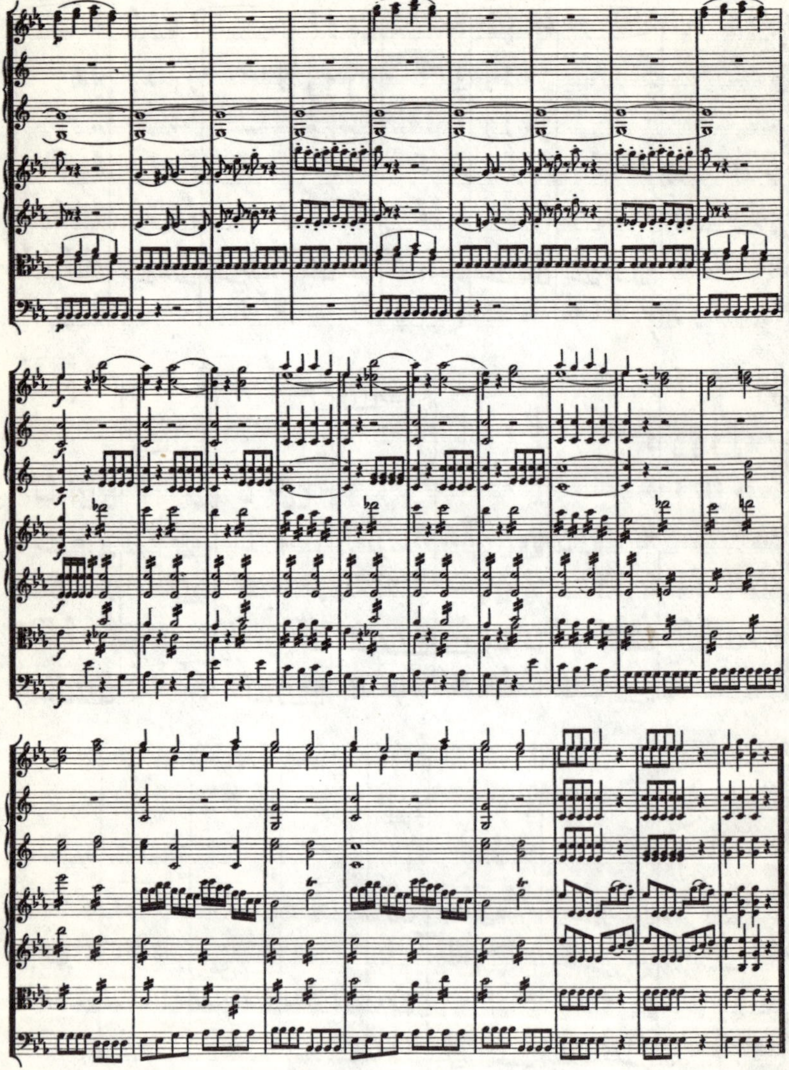

Andante.
Oboi.
Corni in B.
Violino I.
Violino II.
Viola.
Violoncello e Basso.

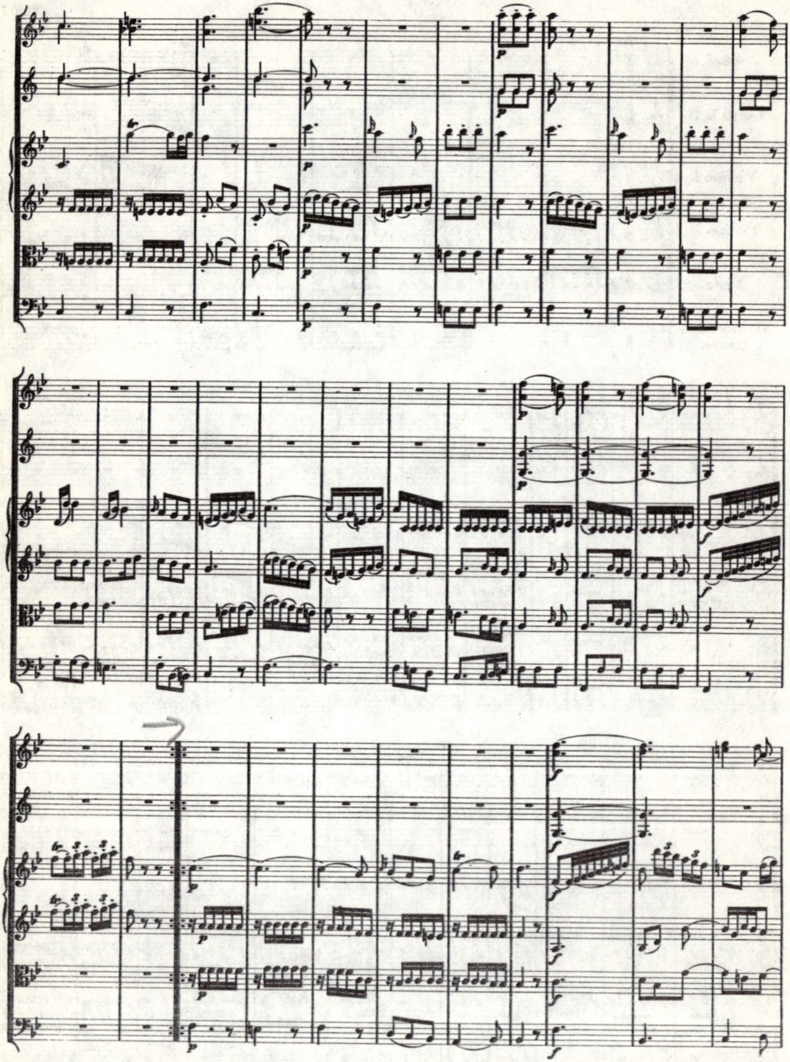

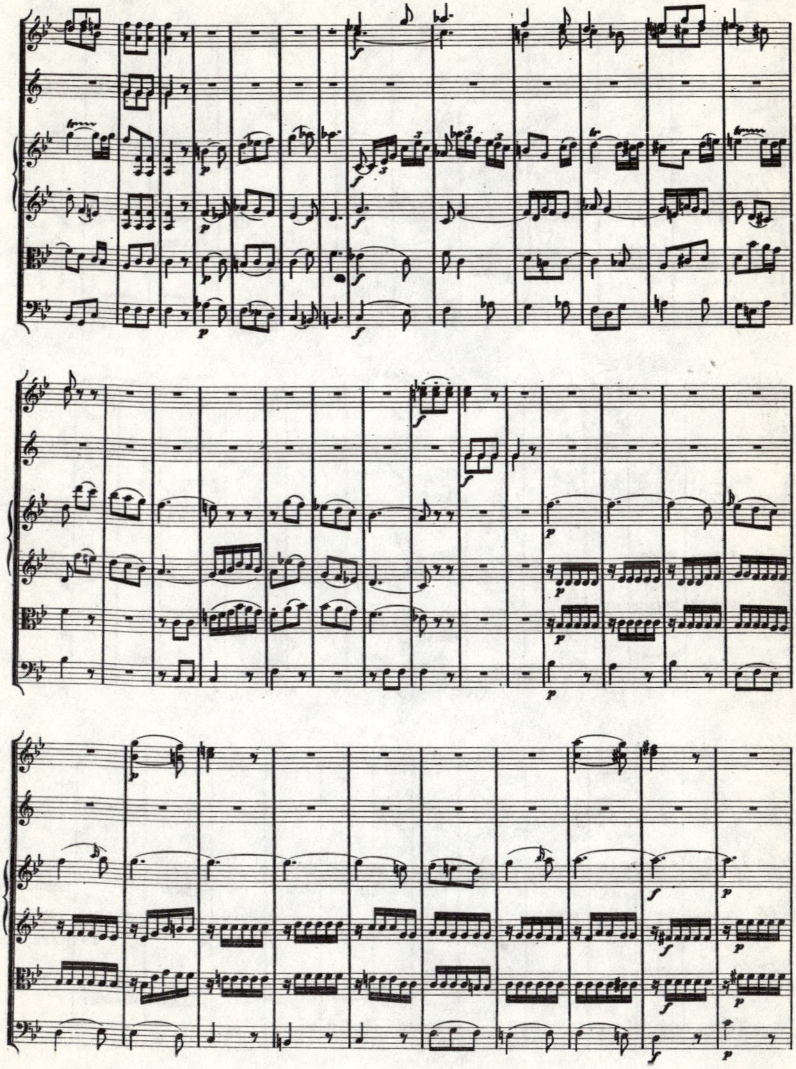

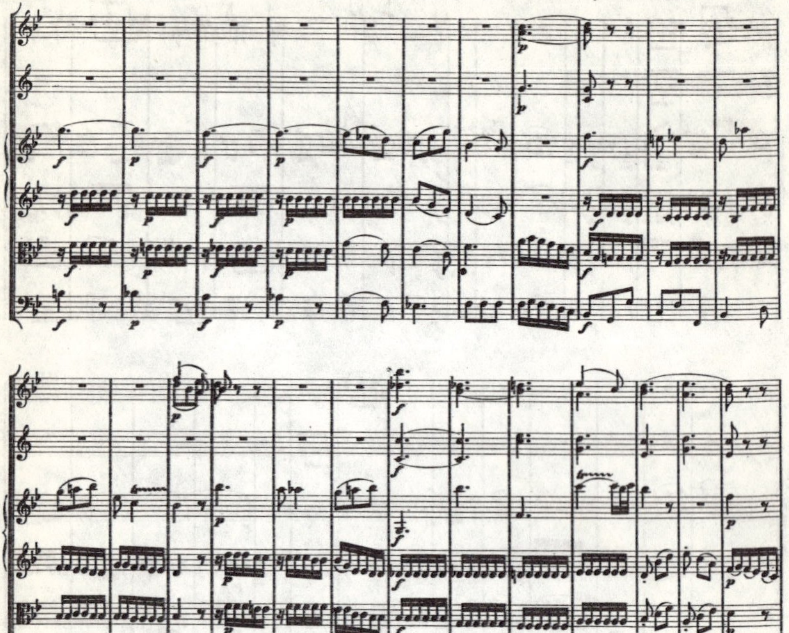

MENUETTO.

Oboi.

Corni in Es.
Alti.

Corni in Es.
Bassi.

Violino I.

Violino II.

Viola.

Violoncello e
Basso.

12 (244)

Trio.

Violino I.

Violino II.

Viola.

Violoncello e Basso.

(Schluss)

Men. D. C.

Allegro.

Oboi.

Corni in Es.
Alti.

Corni in Es.
Bassi.

Violino I.

Violino II.

Viola.

Violoncello e
Basso.

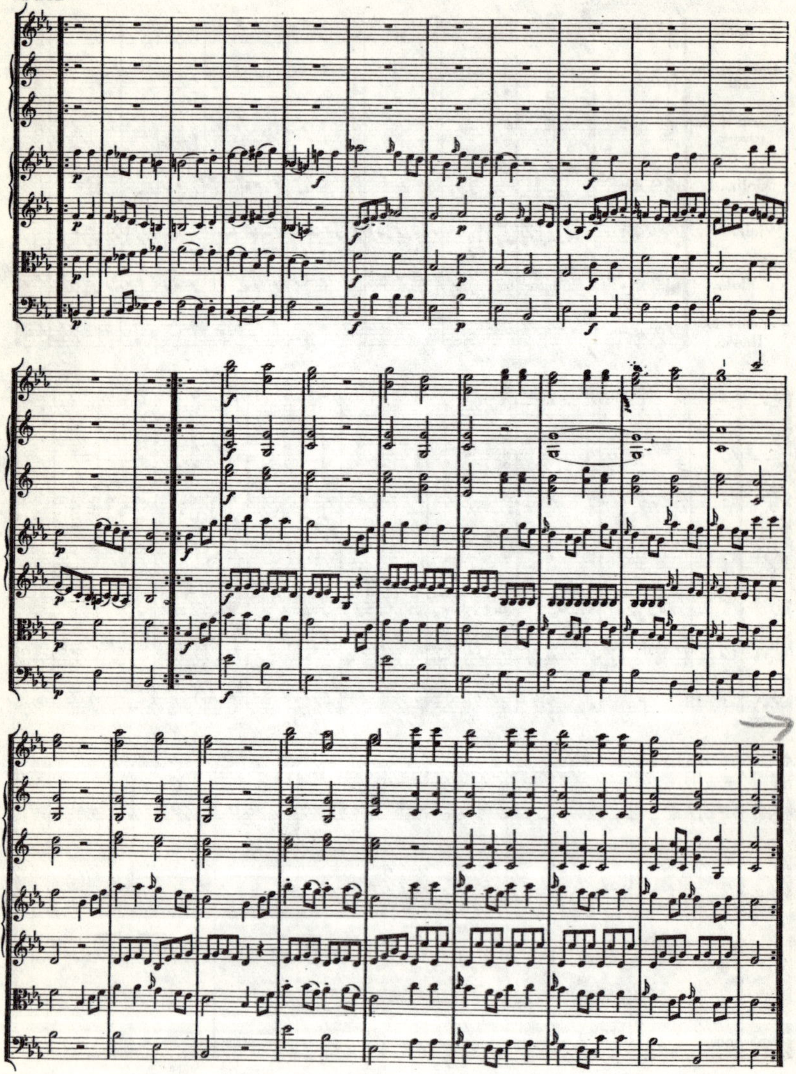

p
f

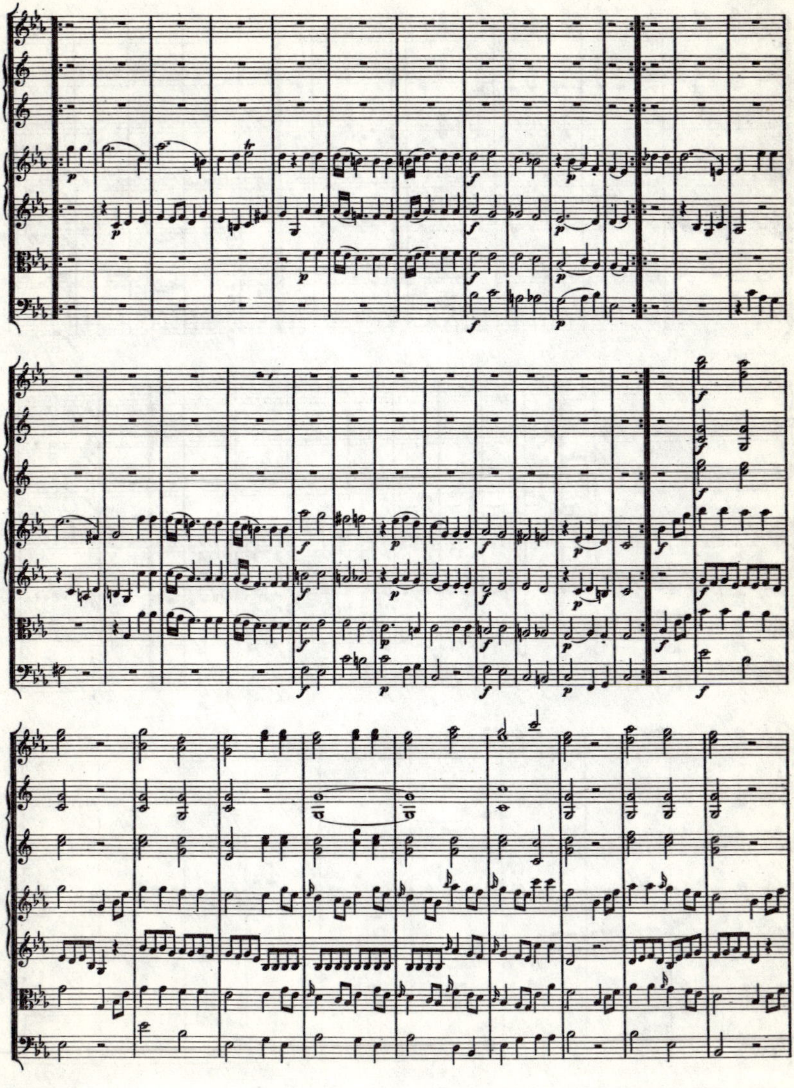

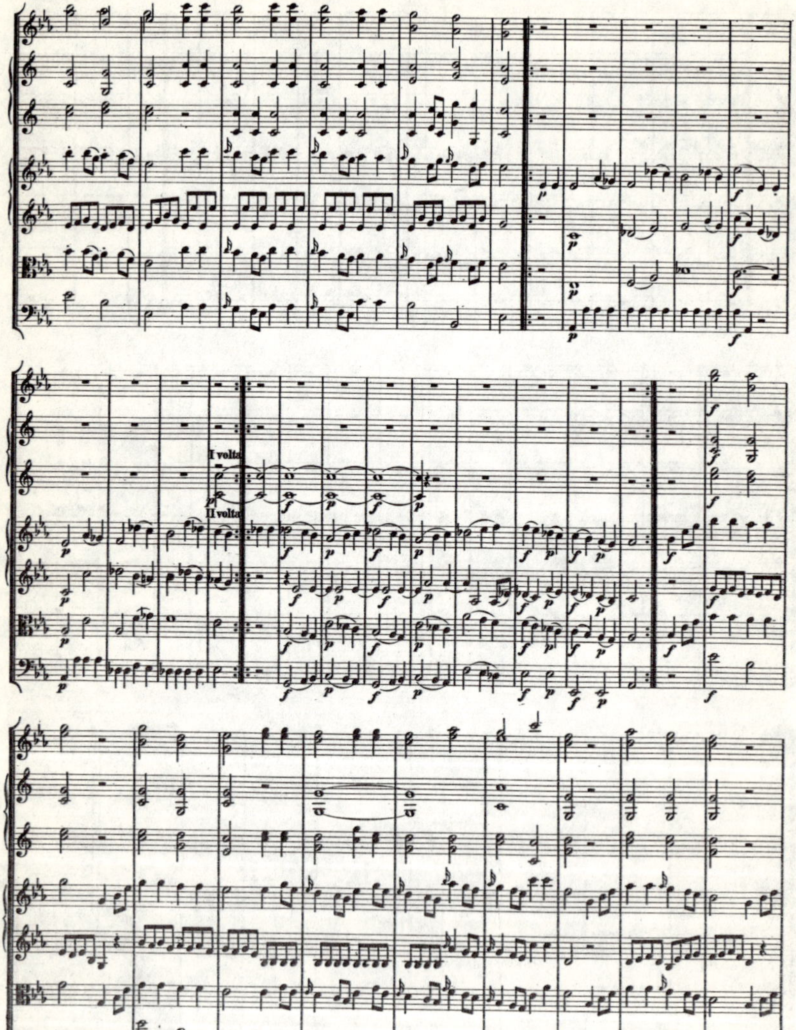
I volta
II volta

Andantino grazioso.

Oboi.

Corni in B.

Violino I.

Violino II.

Viola.

Violoncello e Basso.

Fine

NB. Der langsame Satz ist zweimal componirt. (Otto Jahns „Mozart" Band I S. 704. No 27.)

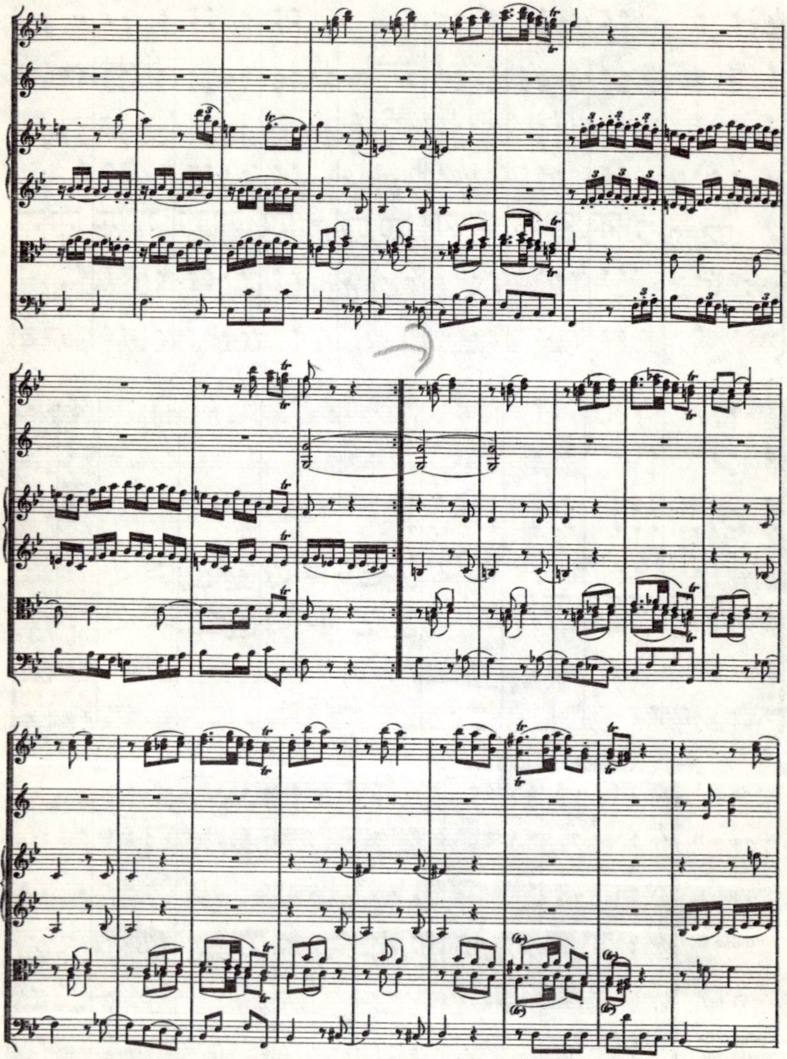

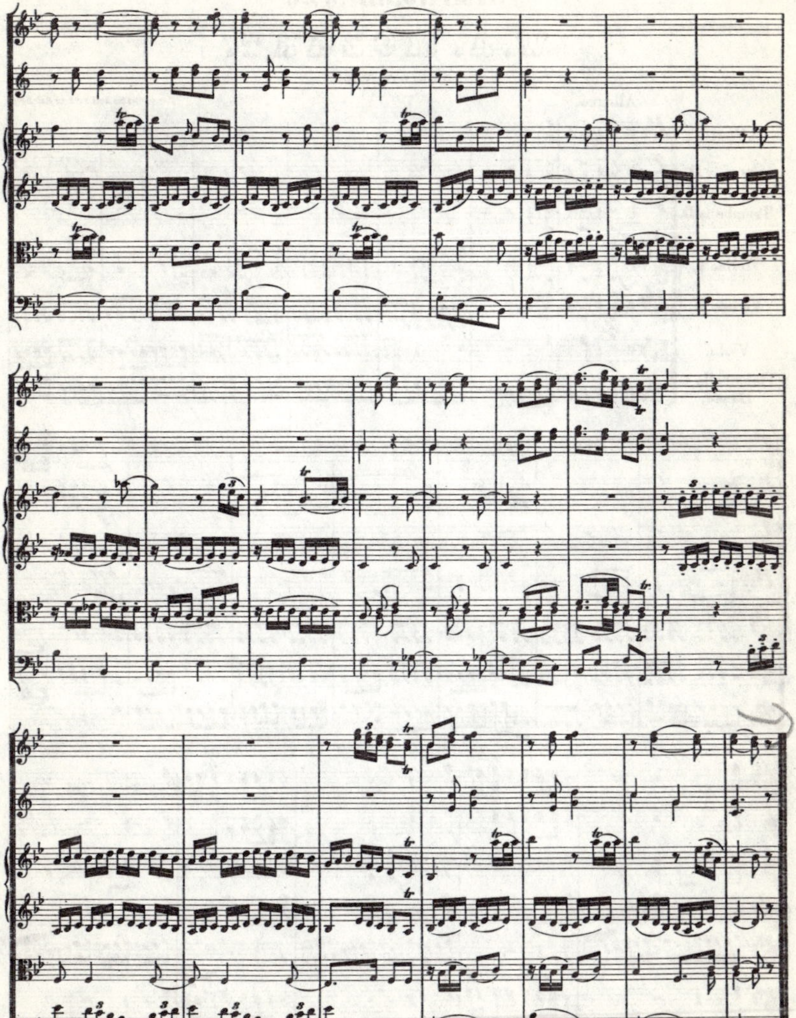

SYMPHONIE No 20
von
W. A. MOZART.
Köch. Verz. No 133.

Mozart's Werke.

Componirt im Juli 1772 zu Salzburg.

Allegro.

Oboi.

Corni in D.

Trombe in D.

Violino I.

Violino II.

Viola.

Violoncello e Basso.

Ausgegeben 1880.

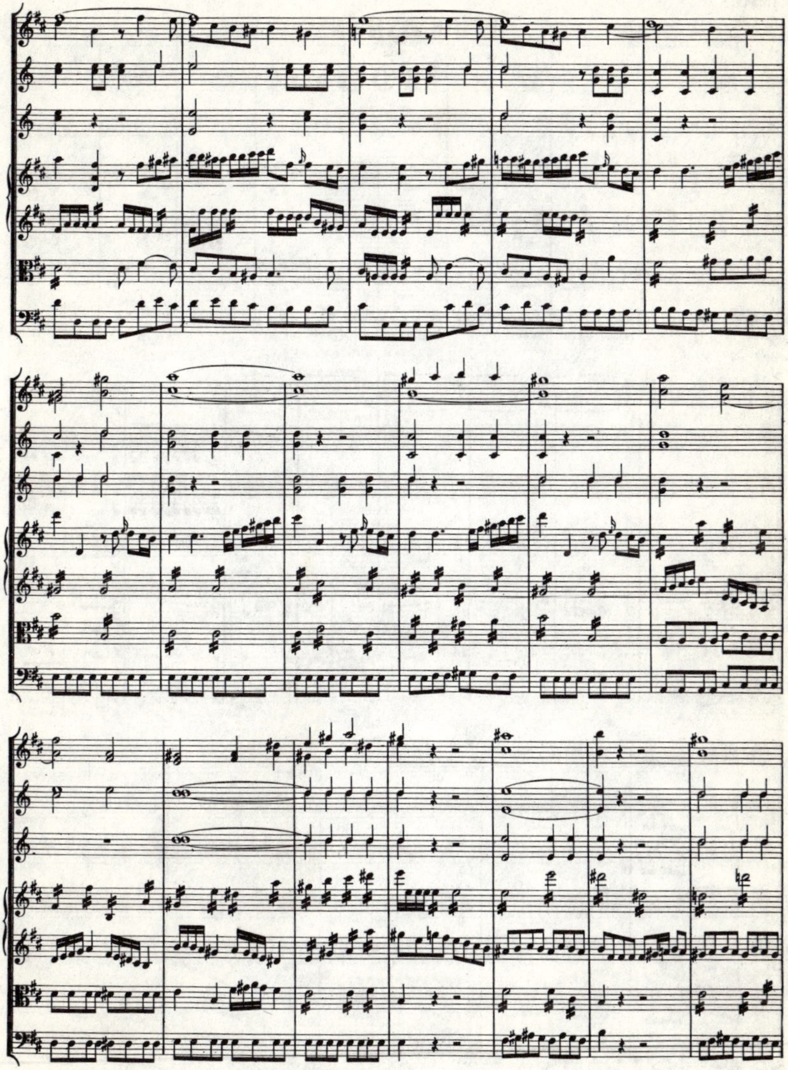

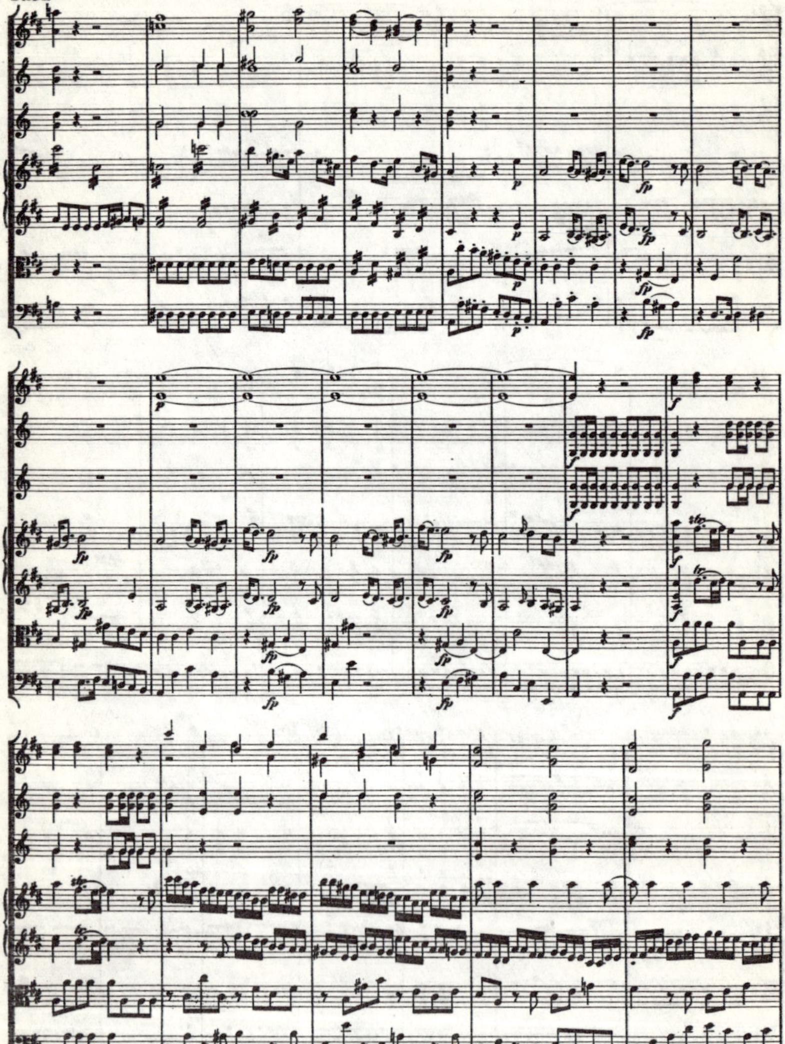

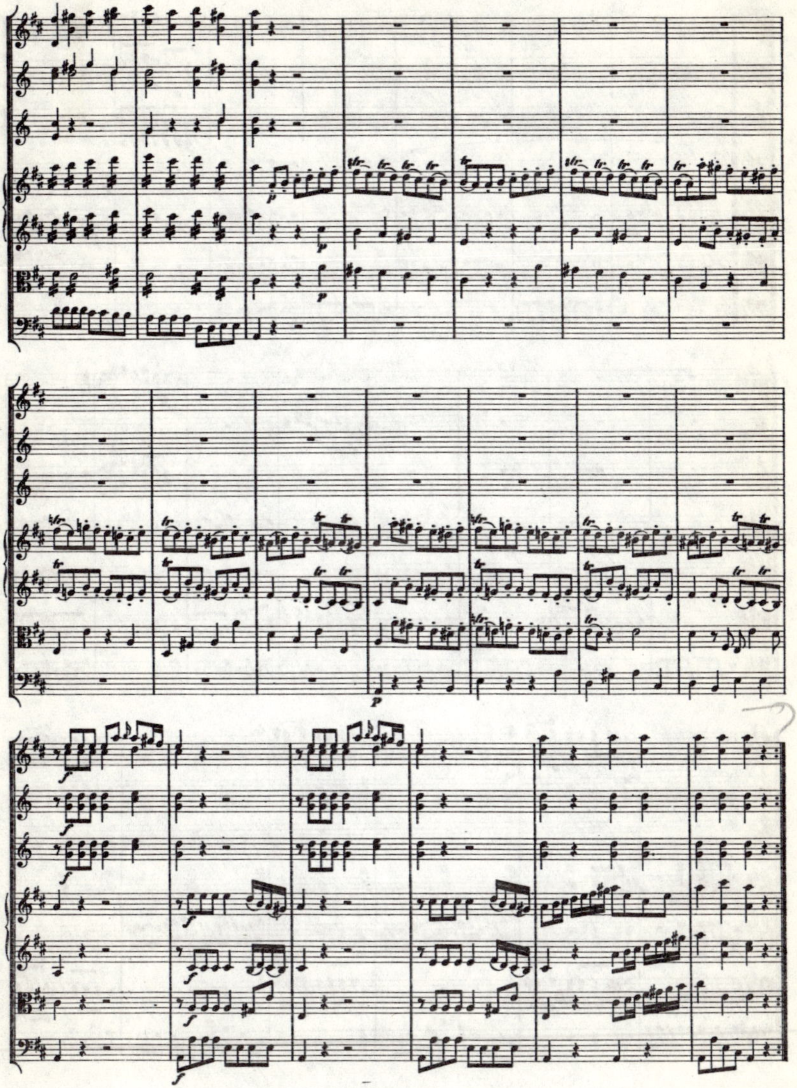

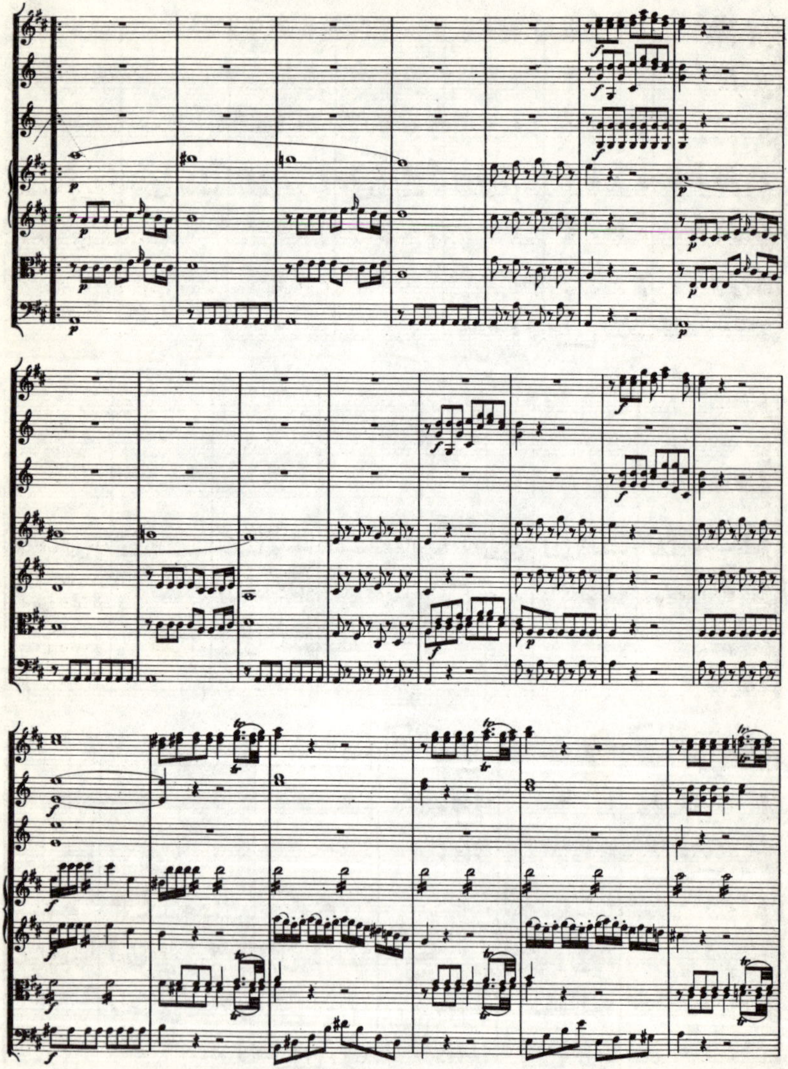

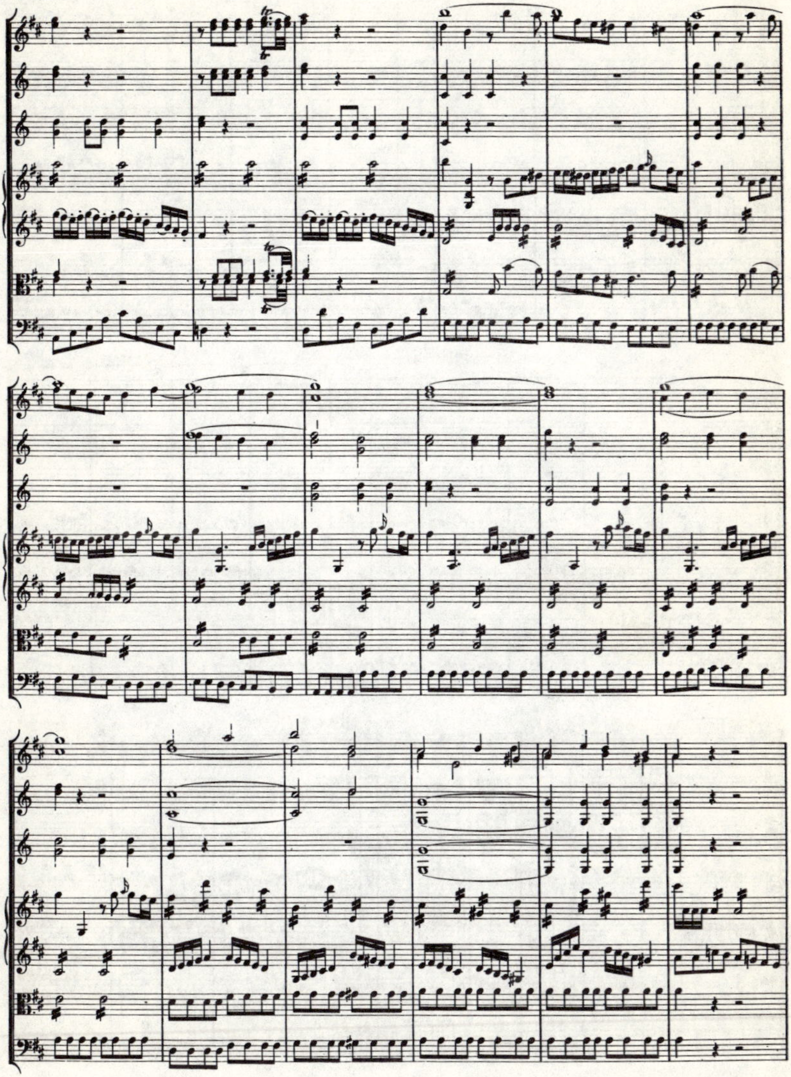
tr
tr
tr
tr

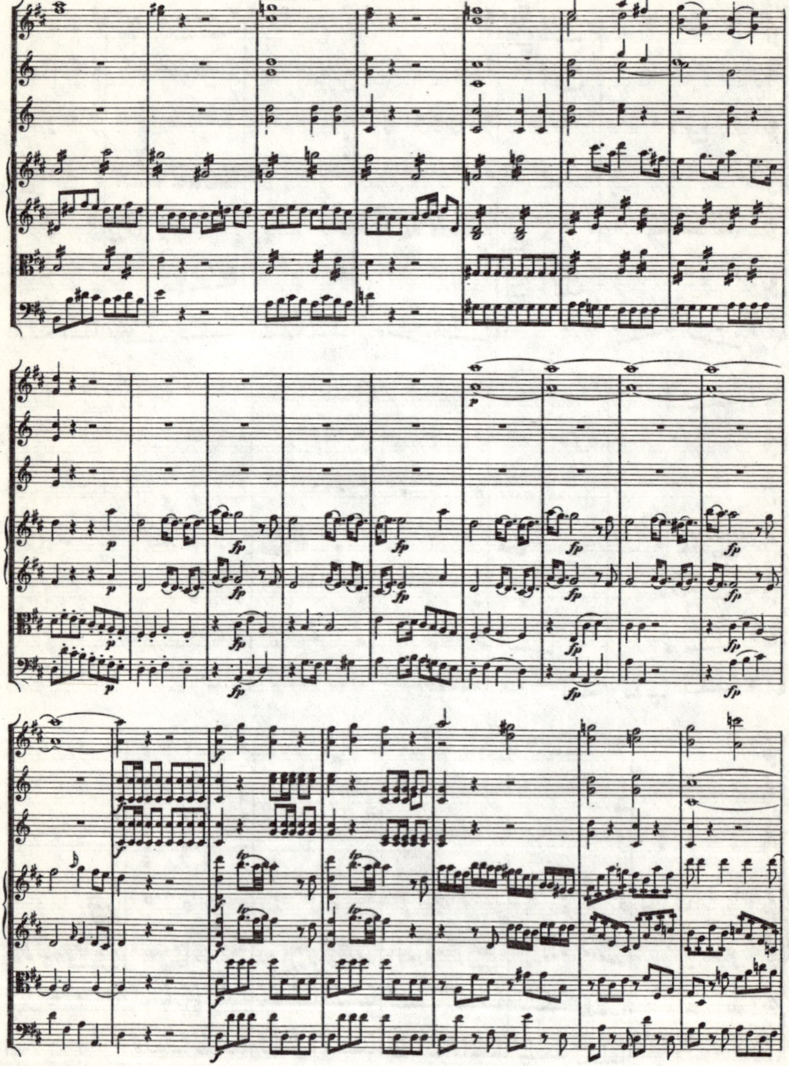

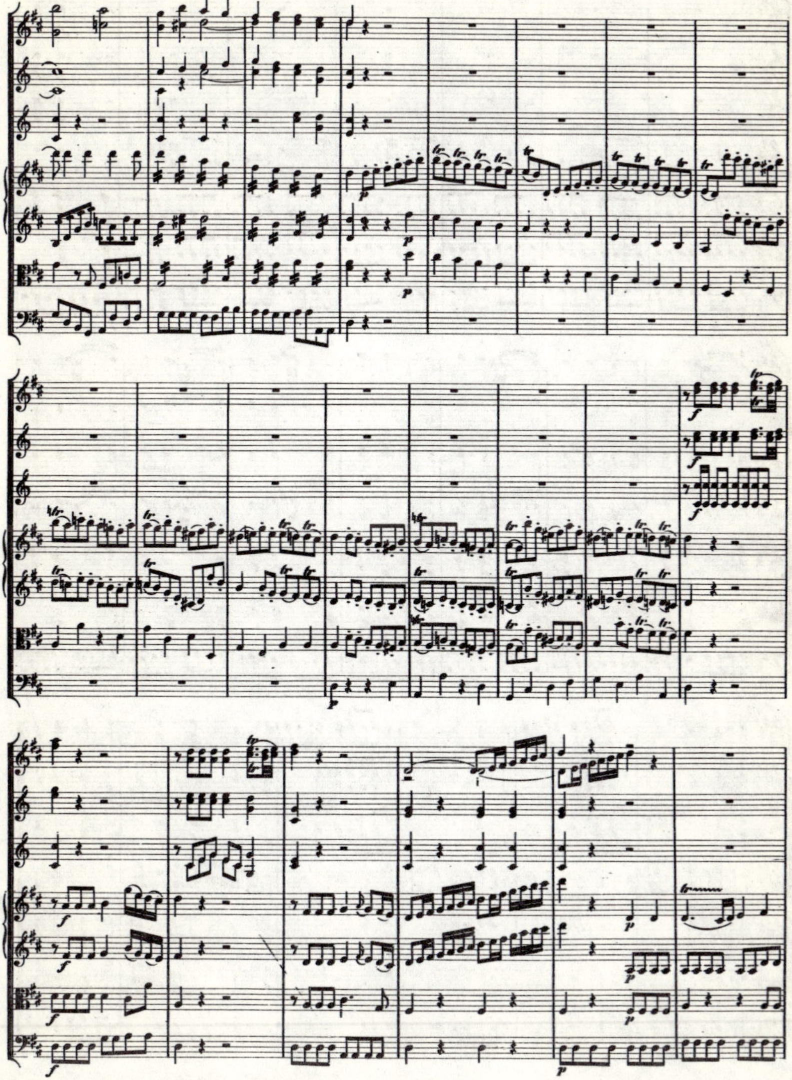

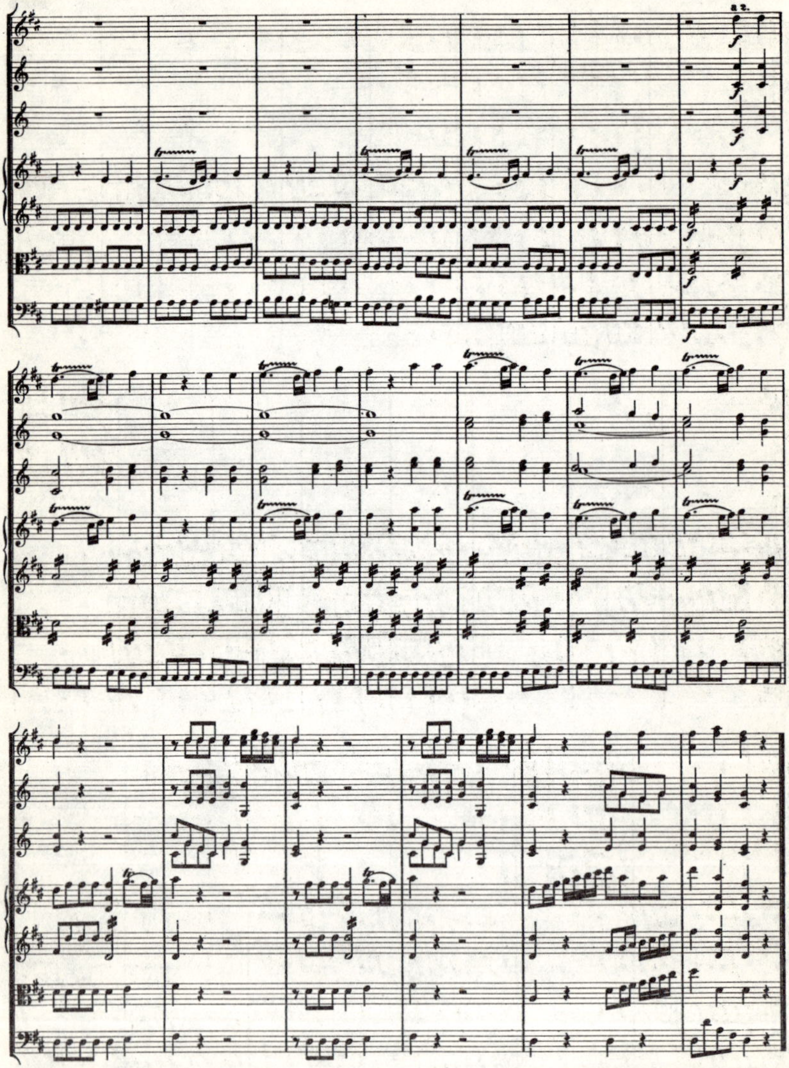
a 2.
f
tr

Andante.

Flauto obligato.

Violino I.

Violino II.

Viola.

Violoncello e Basso.

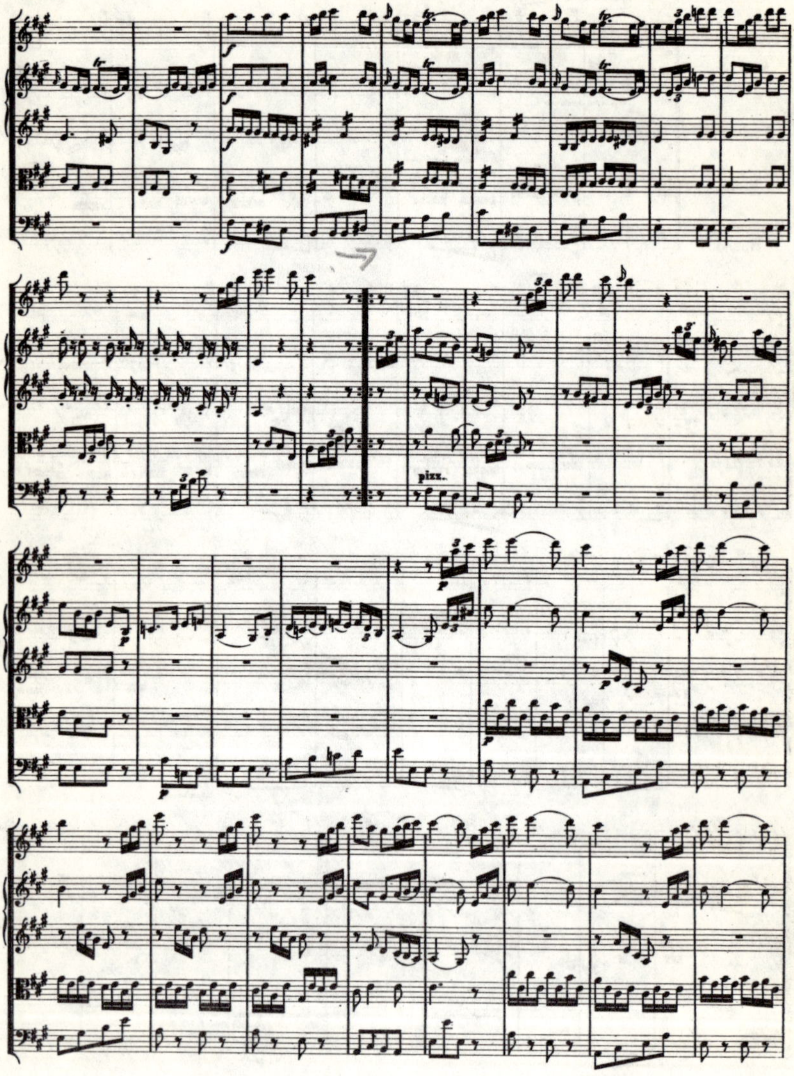
pizz.

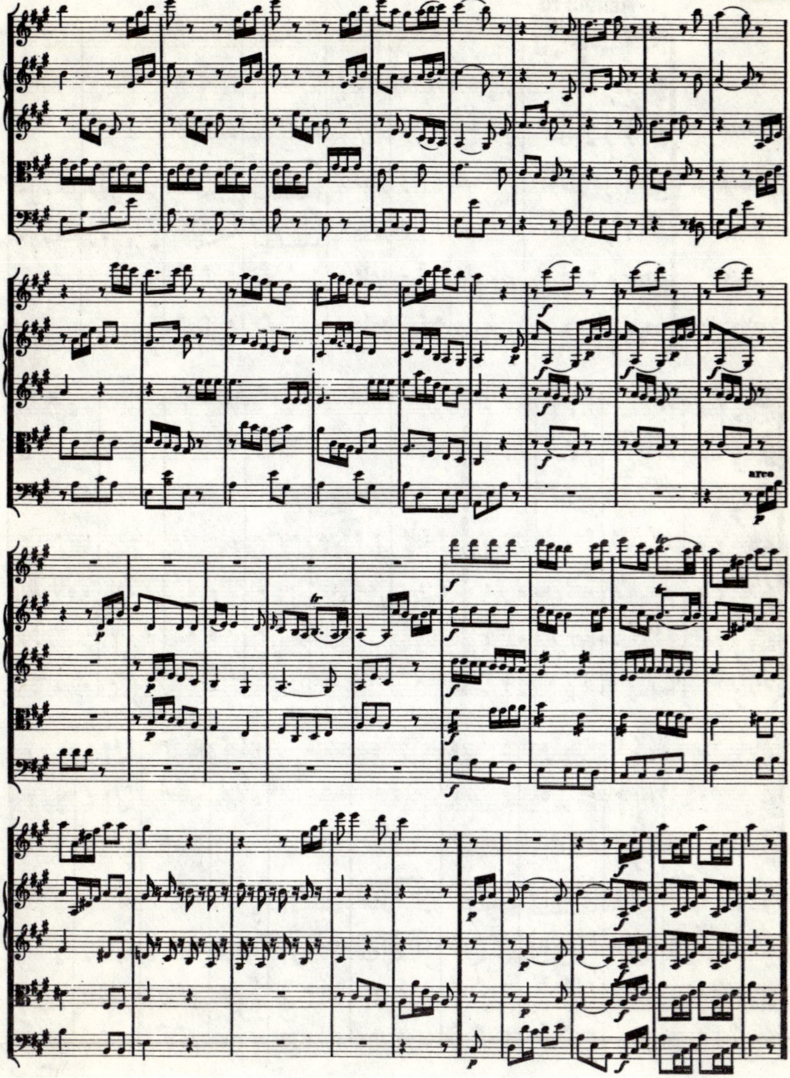
arco

MENUETTO.

Oboi.	
Corni in D.	
Trombe in D.	
Violino I.	
Violino II.	
Viola.	
Violoncello e Basso.	

(Schluss)

Trio.
Oboi.
Violino I.
Violino II.
Viola.
Violoncello e Basso.
Men. D. C.
(Allegro.)
Oboi.
Corni in D.
Trombe in D.
Violino I.
Violino II.
Viola.
Violoncello e Basso.

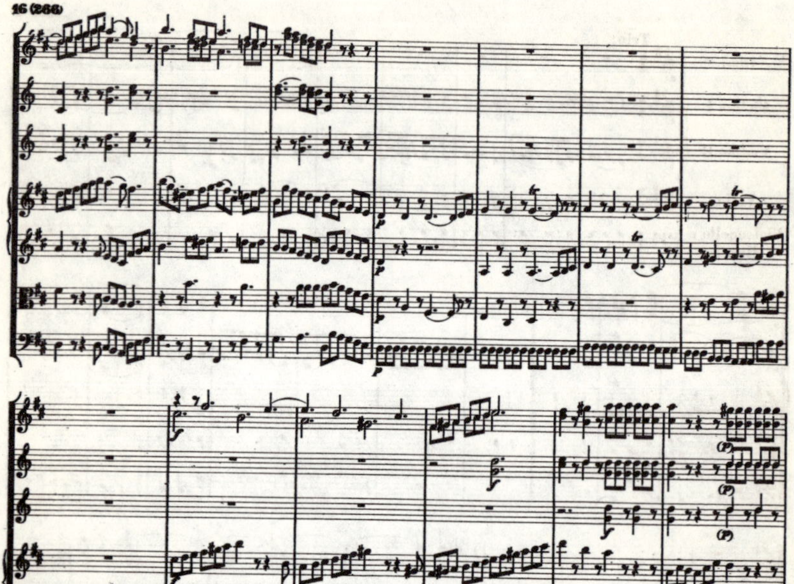
a 2.

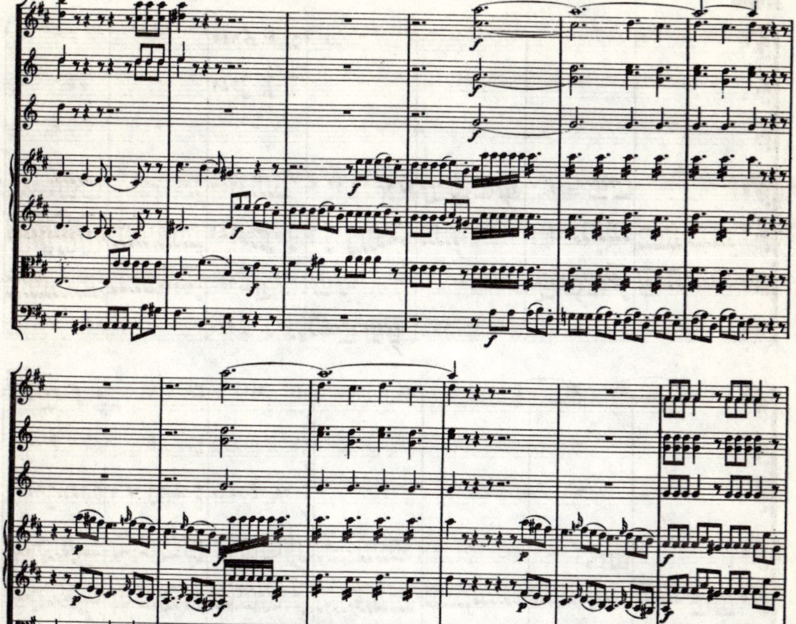

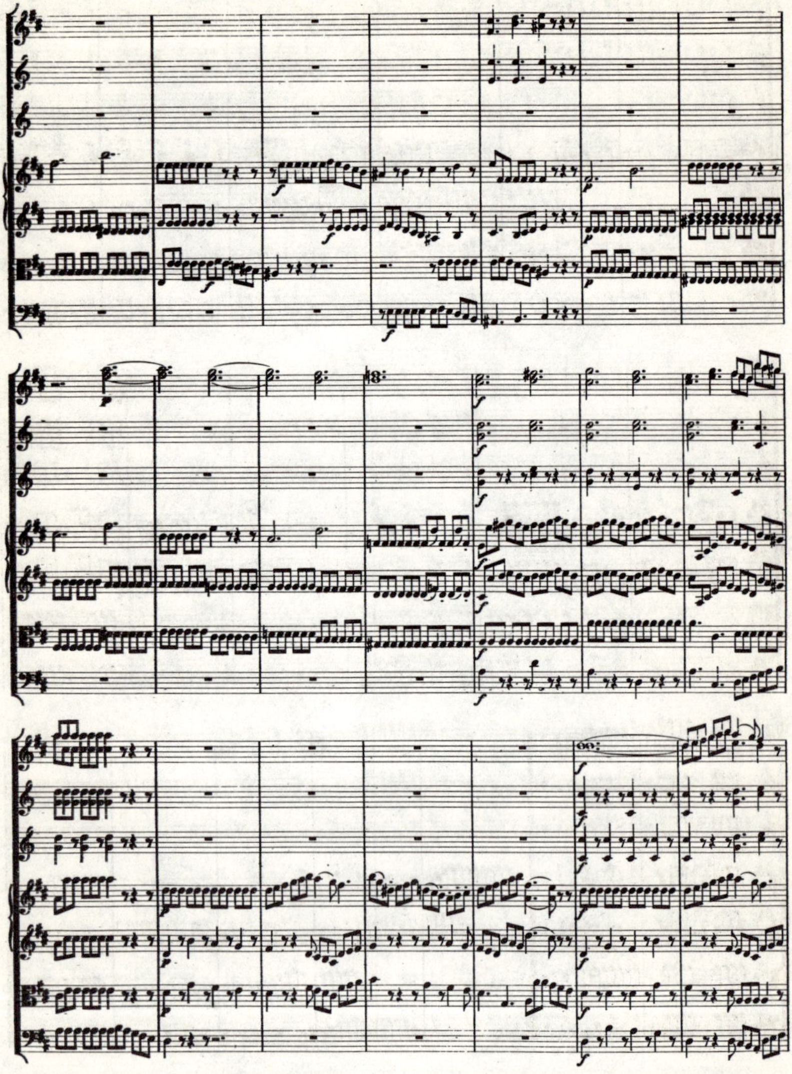

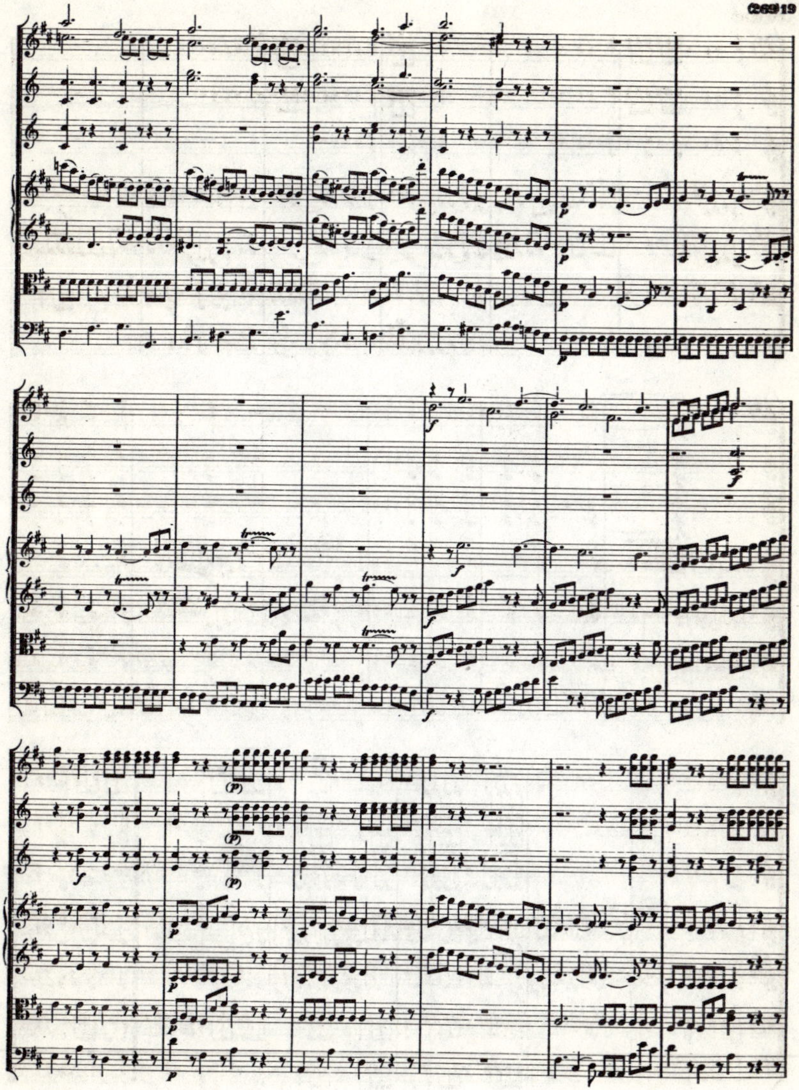

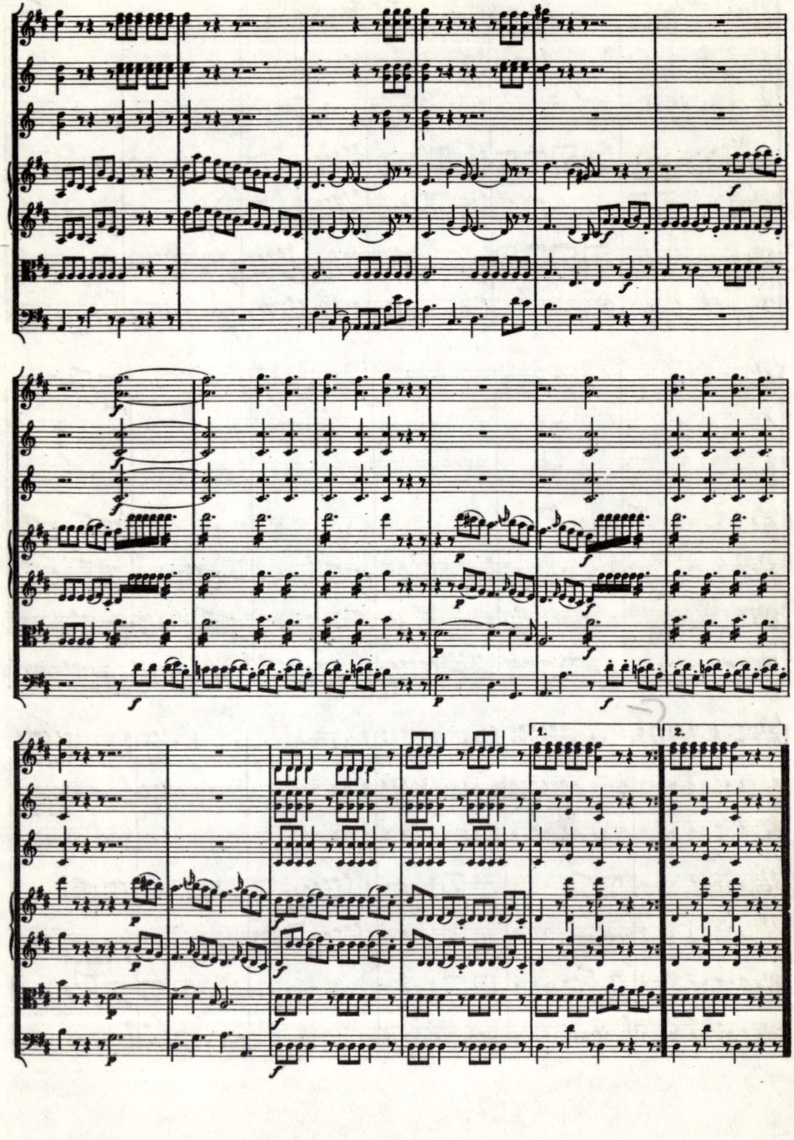

SYMPHONIE No. 21
von
W. A. MOZART.
Köch. Verz. No. 134.

Mozart's Werke.

Serie 8. No. 21.

Componirt im August 1772 zu Salzburg.

Allegro.

Flauti.

Corni in A.

Violino I.

Violino II.

Viola.

Violoncello e Basso.

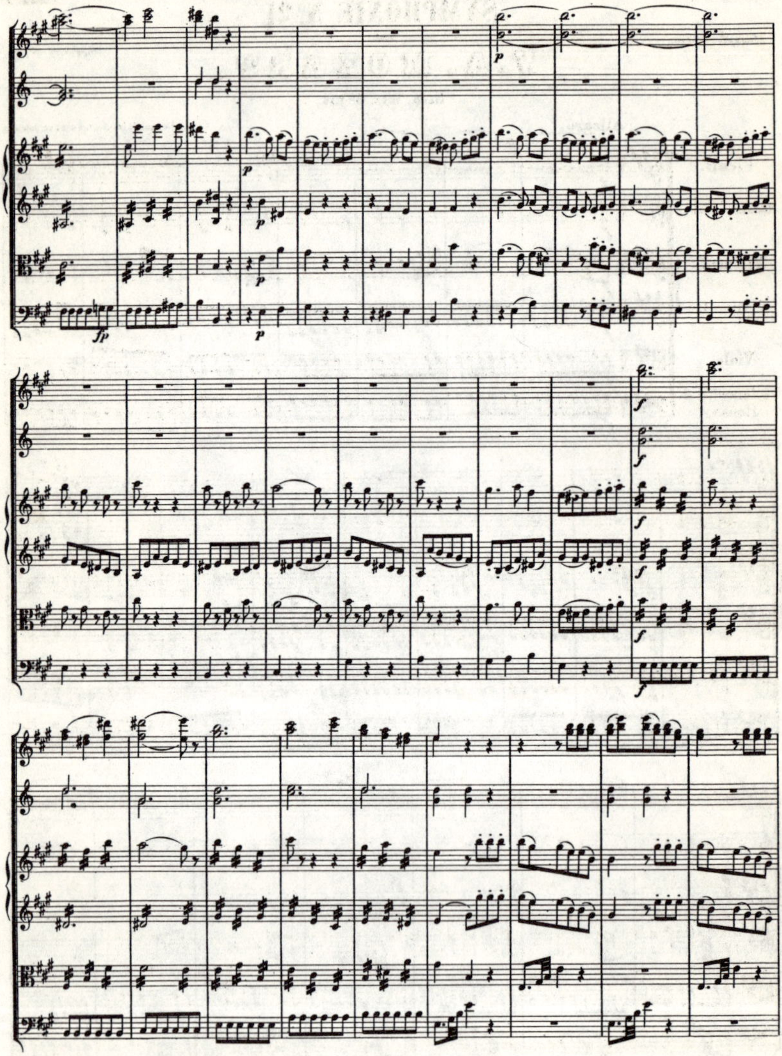

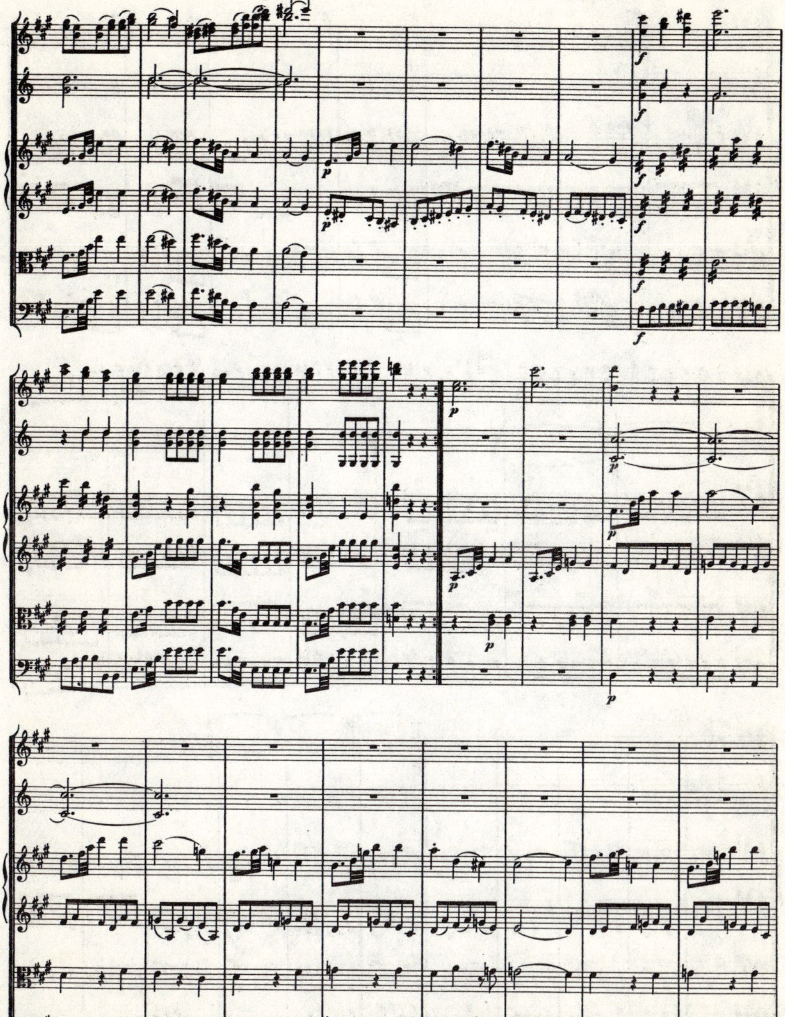

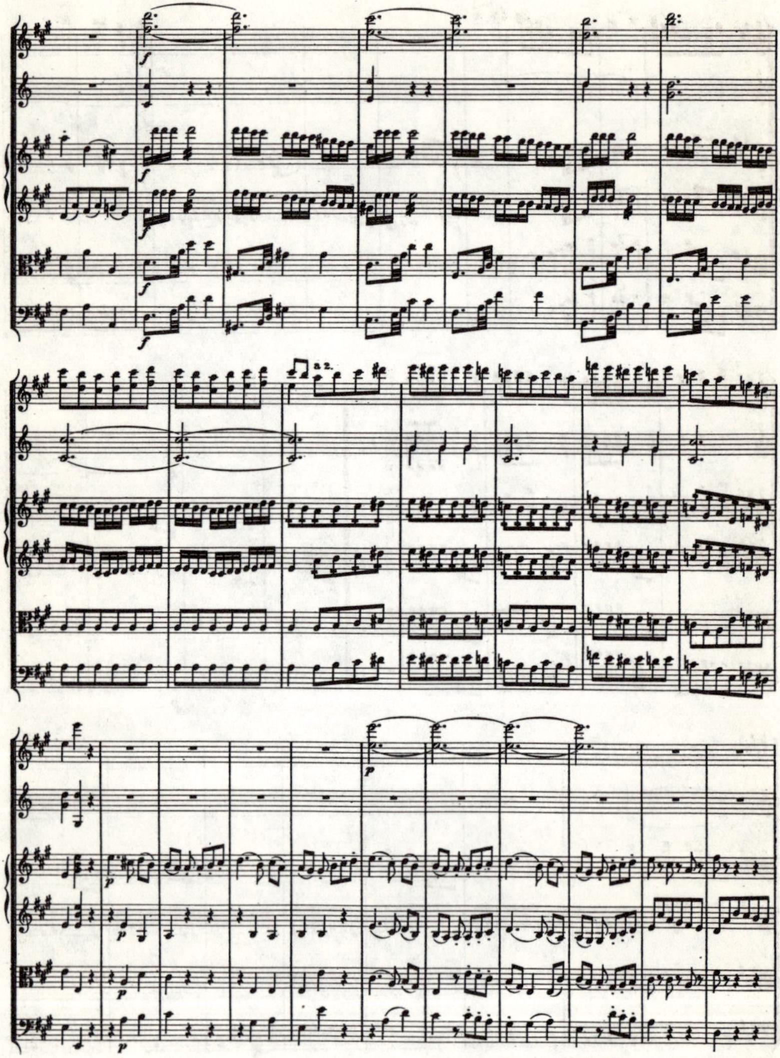
a 2.

(275) 5

Coda.

Andante.

Flauti.

Corni in D.

Violino I.

Violino II.

Viola.

Violoncello e
Basso.

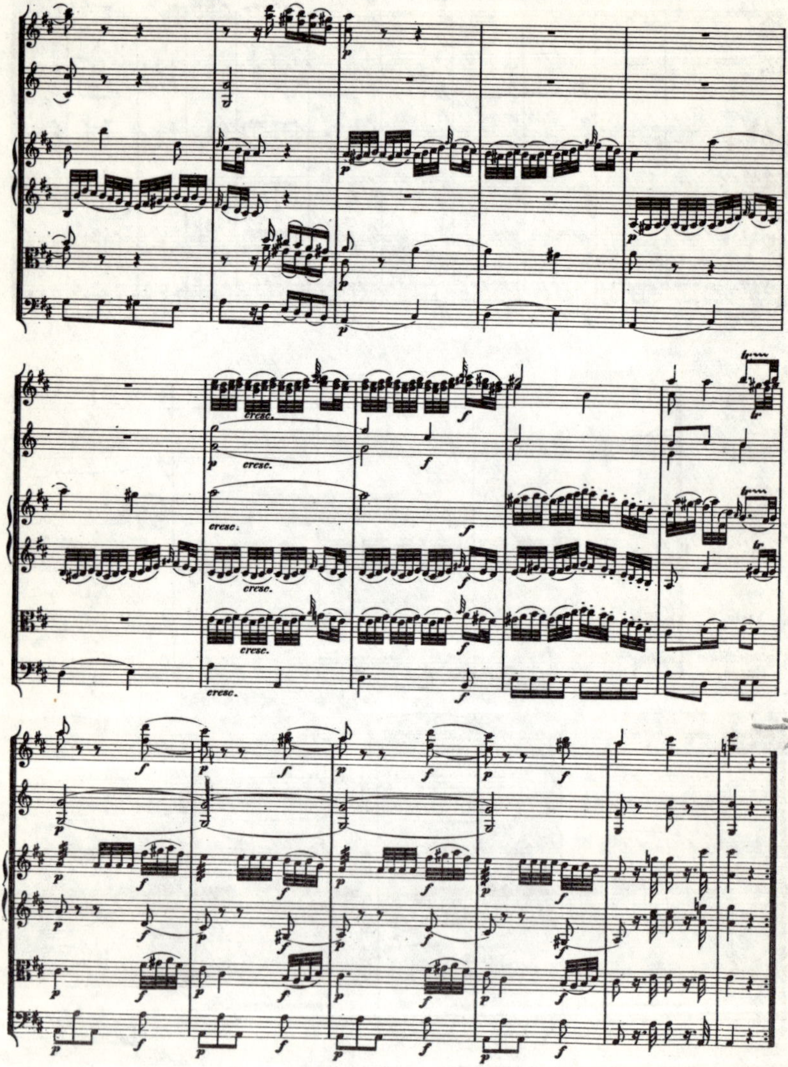
p
cresc.
f
tr

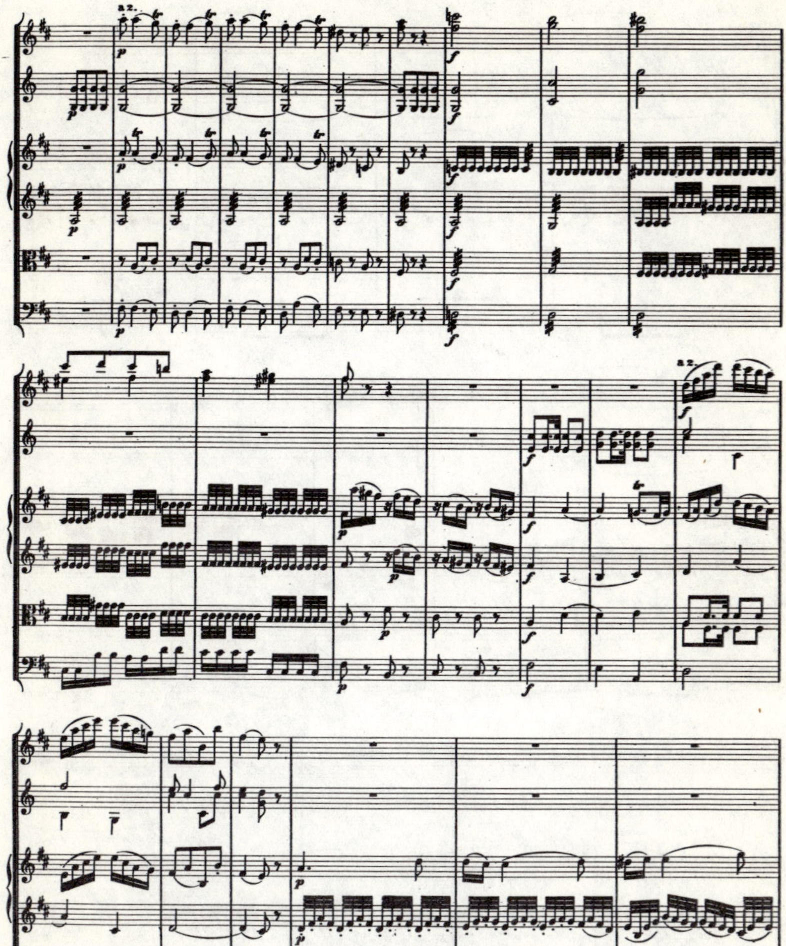
a 2.
a 2.

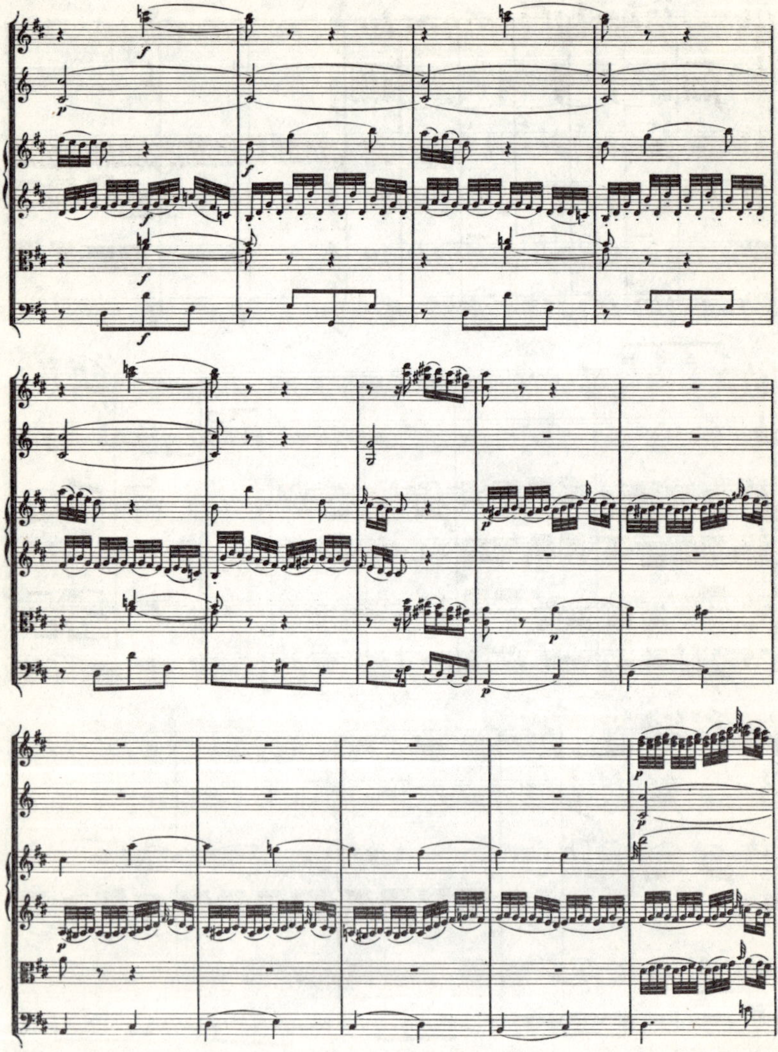
f
p

MENUETTO.

Flauti.	
Corni in A.	
Violino I.	
Violino II.	
Viola.	
Violoncello e Basso.	

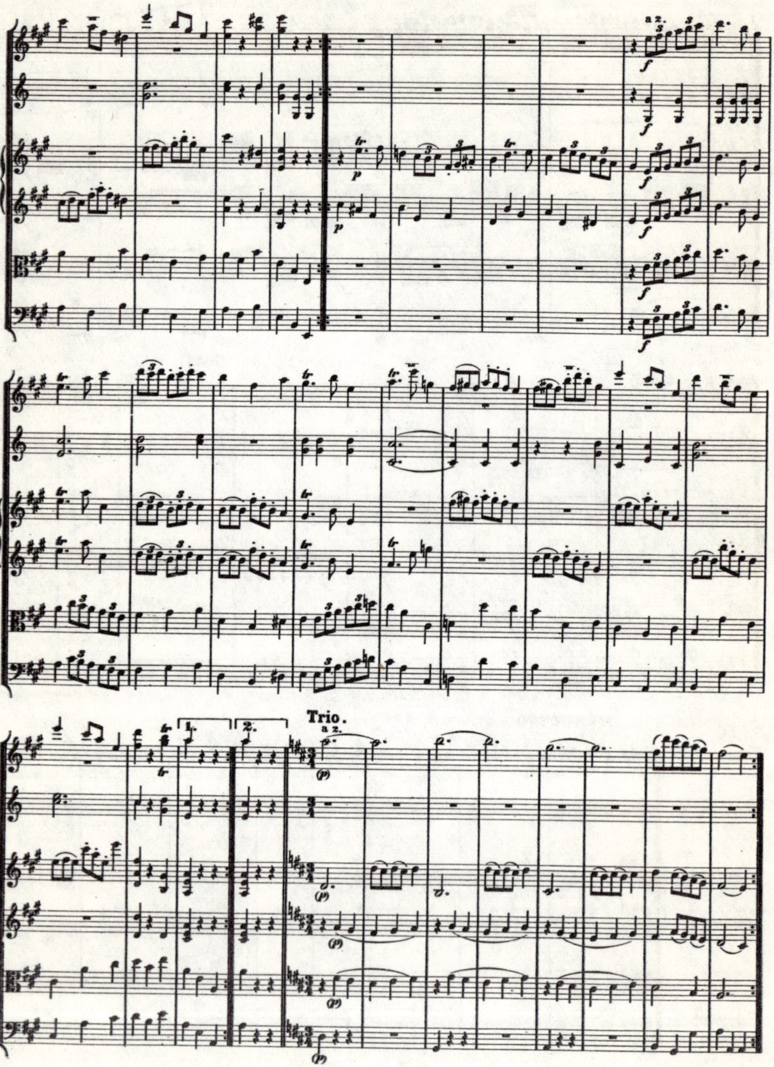
a 2.
Trio.
a 2.

Menuetto da capo.

Flauti.	
Corni in A.	
Violino I.	
Violino II.	
Viola.	
Violoncello e Basso.	

Allegro.

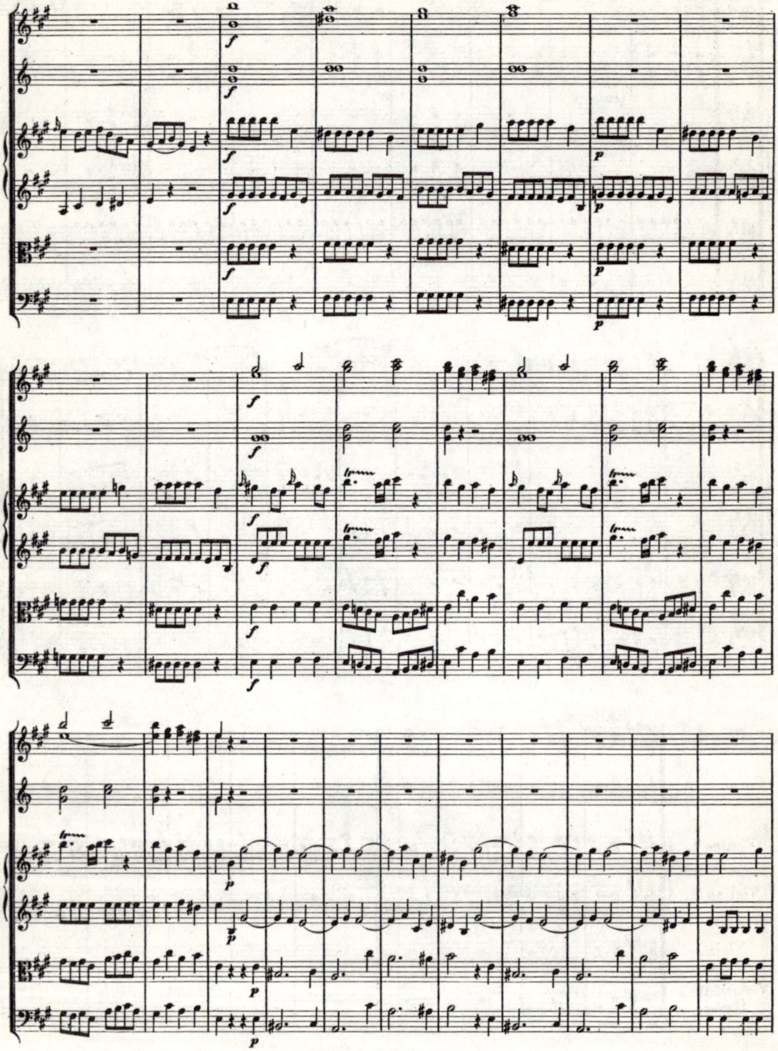

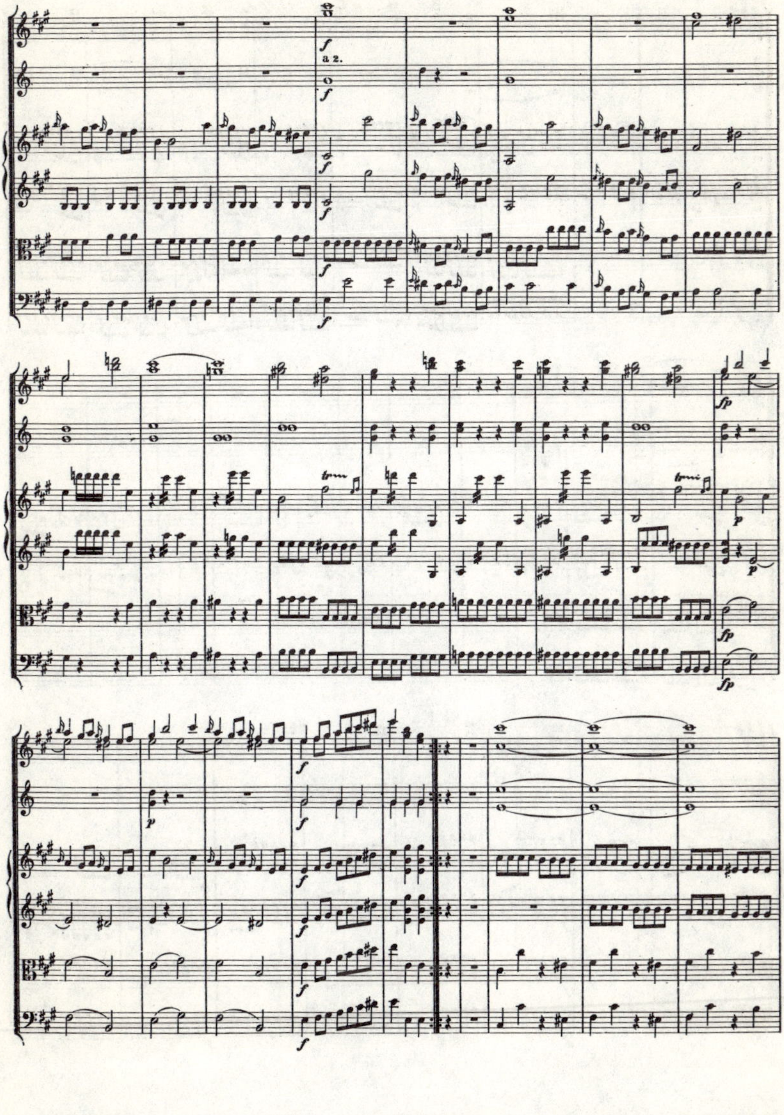
a 2.
tr
tr

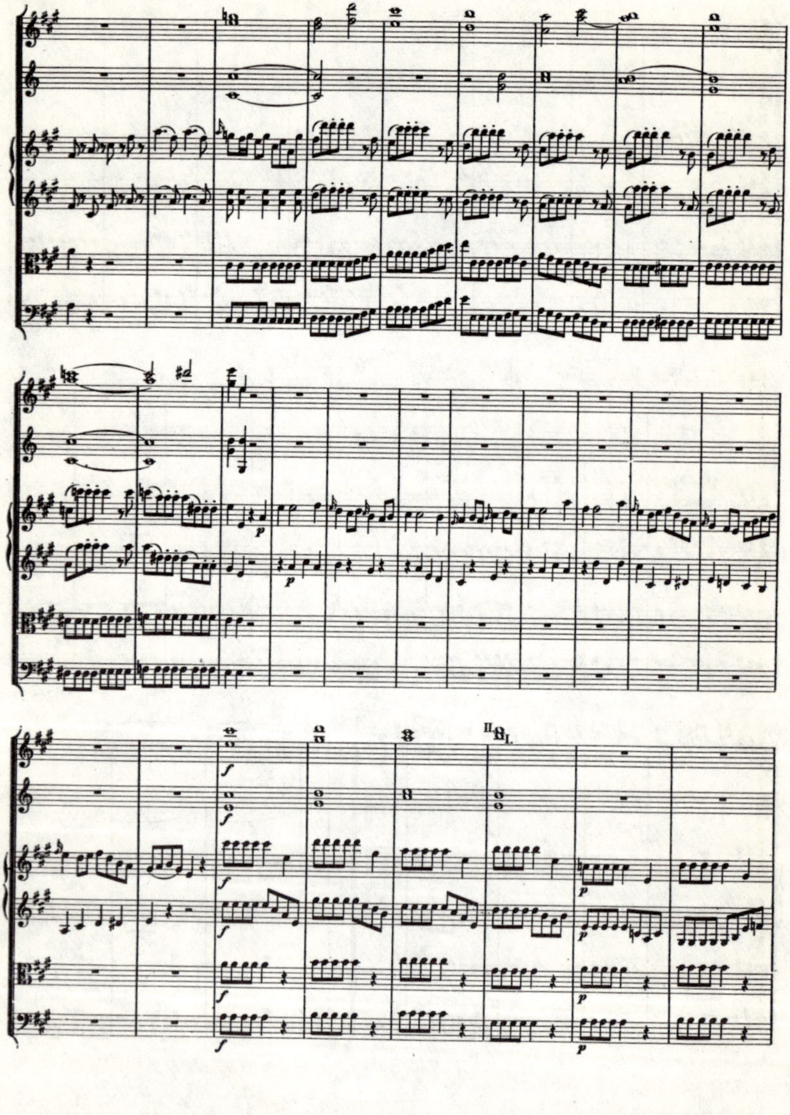

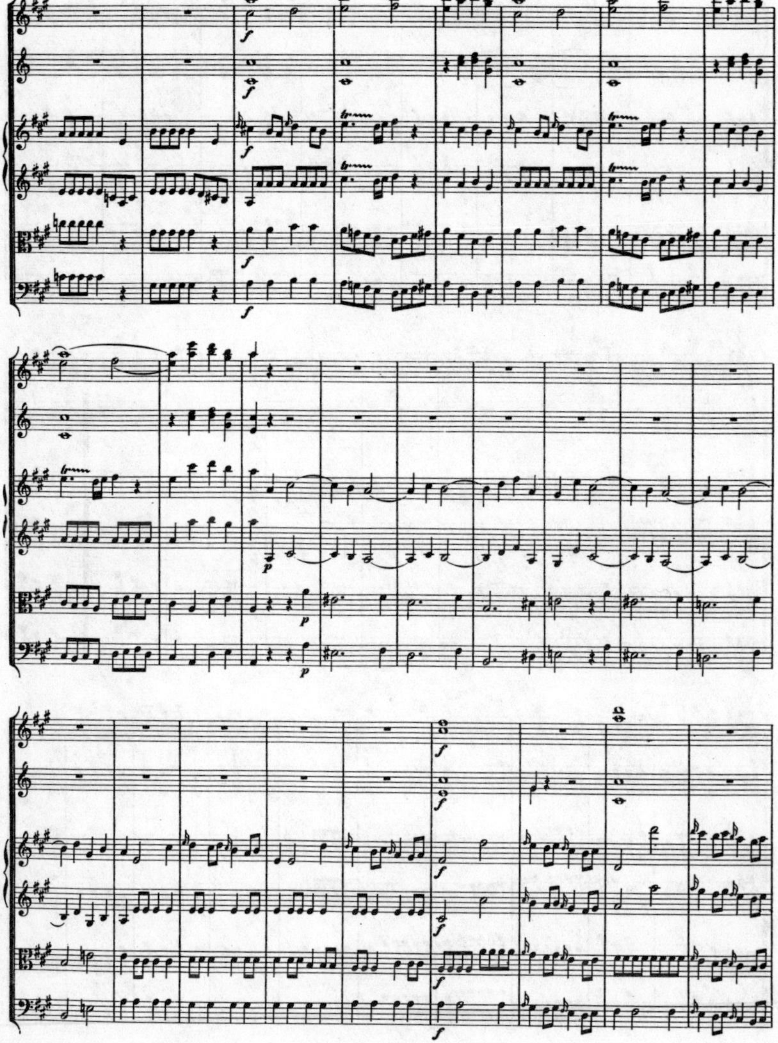

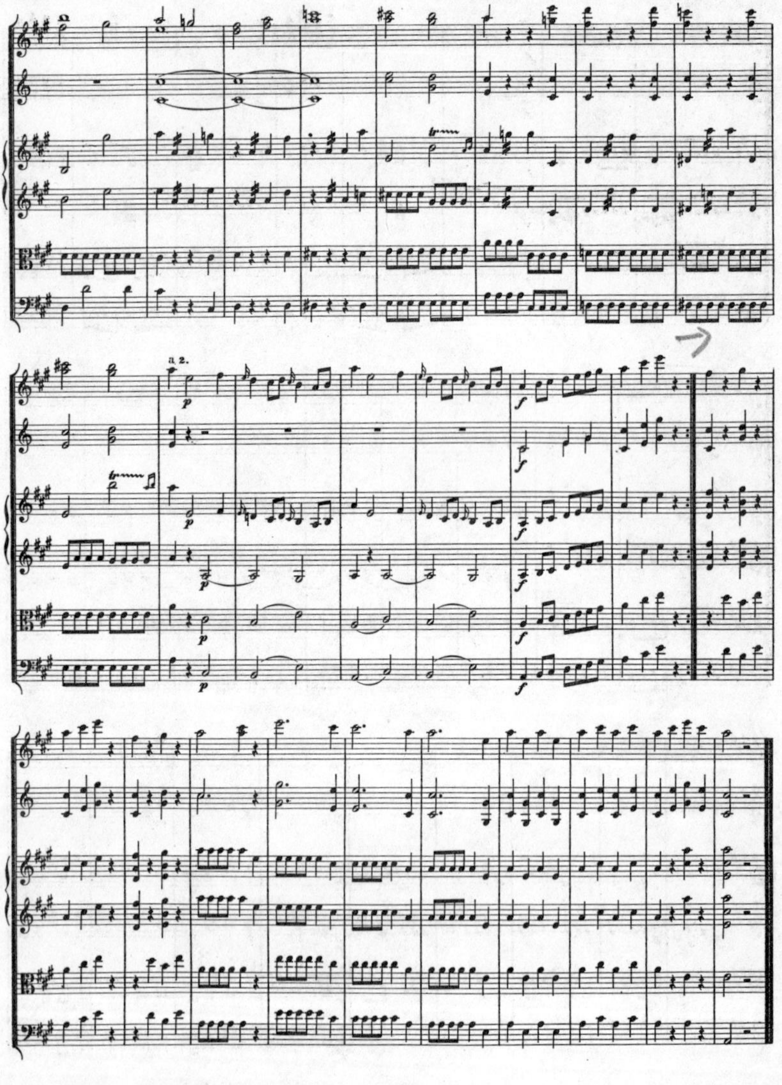
a 2.